新潮文庫

ヨーロッパものしり紀行

《神話・キリスト教》編

紅山雪夫著

はじめに

長年のあいだ私は海外旅行の立案、そして同行講師という仕事をしてきた。同行講師というのは、皆さんと一緒に旅をして、その国の歴史、建築、美術工芸、人々の生活、料理そのほか、旅をいっそう興味深くするのに役立ちそうなことを、どなたにもよく分かっていただけるように話す仕事である。その間に多くの方々から質問や意見をいただだいた。

「いぜんギガントマキアという素晴らしい古代彫刻を見て、すごい感銘を受けた。下半身が大蛇の姿をしている怪物たちと神々が激しく闘っている情景で、石の肌からエネルギーが発散しているような感じだった。いったいどういう物語なのか、そのときガイドさんに尋ねたのだが、さっぱり説明してくれなかった」

「女神アテナは、どうして女だてらに冑《かぶと》をかぶり、槍《やり》を持っているのか」

「大司教といえばキリスト教の高僧のはずなのに、なぜこんな壮大な城や宮殿を構えていたのか」

「今日、美術館で見た絵のなかに、イエスとマグダラのマリアをテーマにした作品が三つもあった。三つとも、なぜか強く惹《ひ》かれる思いがして印象に残っているが、背景になっている物語が分からなくて、もどかしかった。マグダラのマリアとはどういう女性なのか」

「兵士たちがたくさんの赤ちゃんを刺し殺し、母親たちが嘆き悲しんでいる絵が教会にあった。なぜあんな絵が教会にあるのか」

「聖母マリアがロバに乗り、赤ちゃんの口にオッパイを含ませ、夫のヨセフがロバの手綱を取ってのんびりと行く情景が、教会の扉の浮彫になっていた。ちょっと珍しい情景なので、ワケを知りたい」

などなど、この本の主題である神話伝説とキリスト教にしぼっても、質問は多岐にわたっている。そうして必ずといってよいほど、何か参考になる良い本があったら教えて欲しいといわれるのである。

最初の二問のような神話伝説については、比較的やさしいといえるかも知れない。質問を受けて、その場で単純明快な答えを出すこともできるし、またヨーロッパの神話伝説についての解説書がいろいろと出ているので、それを教えてあげることもできる。

ところがキリスト教に関連したことについては非常に難しい。まず、日本ではキリスト教のことはよく知られていないので、例えば美術作品のテーマにしても、簡単にひとくちで説明することはできないのである。無理にひとくちで説明しようとすると、それはただ上《うわ》っ面《つら》を撫《な》でるだけで、本質に立ち入らない形ばかりの説明に終わってしまう。また、キリスト教について日本で出ている本はほとんどが信仰の立場から書かれたものなので、クリスチャンではない者が読んでも、あまり興味を持つことはできない。その上さらに、私たちがヨーロッパを旅していて毎日のように感じる素朴な疑問に対して、答えを与えてくれるような内容ではない。私がこの本の前身になった『ヨーロッパが面白い』を書いて、右に述べたような多くの方々の疑問、質問にお答えしようと思い立った発端はそこにあった。

言い換えれば、キリスト教についてのさまざまの知識を、信仰という立場からではなく、一つの文化現象をとらえるという立場から探求してゆこうというのが、この本の狙《ねら》いである。併せてヨーロッパ文化の根底にある神話伝説についての理解も深めて、ヨーロッパの旅をなおいっそう興味深いものにしていただくことができれば、と念願している。ただ私の非力のため、思わぬ間違いもあるのではないかと恐れており、大方の叱正《しっせい》をお願いしたい。この本が新潮文庫の一端に加えられて世に出る運びになるについては、新潮社の庄司一郎氏にたいへんお世話になった。そうしてヨーロッパの旅を愛する多くの方々と、いうなれば紙面を通じて語り合える結果になった。ここに厚く御礼を申し上げる次第である。

それでは、楽しいヨーロッパの旅を！

紅山雪夫

ヨーロッパものしり紀行《神話・キリスト教》編＊目次

Ⅱ　キリスト教と祭日

《くらしとグルメ》編＊目次より

《建築・美術工芸》編＊目次より

V　建築と庭園

Ⅵ　美術工芸

ヨーロッパものしり紀行

《神話・キリスト教》編

I　神話と伝説

巨人族と神々の誕生

混沌《こんとん》から天と地が分かれ
ギリシア神話の主役たちが次々に登場

アフロディテとヴィーナス

西洋の絵画や彫刻にいちばんよく登場する神様は、女性の美と愛を象徴し、航海の守り神でもあったアフロディテであろう。後にはローマ神話の女神ウェヌスと同一視され、その英語読みであるヴィーナスの名によって、広く知られている。ローマ人は先進ギリシアの文化を取り入れるに当たって、ギリシアの神々を性格が似通っている自分たちの神々と同一視した。ゼウスとユピテルなどもそうである。

さてギリシア神話には多くの異説があり、アフロディテの誕生についても、ゼウスの娘だという説もあるが、多数説は次のような物語だ。

海の泡から美と愛と航海の女神誕生

宇宙の初めは暗闇《くらやみ》でドロドロしていた。それがいつしか上下に分離し、上は父なる天空ウラノス、下は母なる大地ガイアになる。ウラノスはたびたび降りてきてガイアと交わったが、そのたびに腕が百本もある怪物が生まれた。

ウラノスは生まれてきた子供たちが揃《そろ》いも揃って醜い怪物なのでいやになり、大地の底に閉じ込めてしまう。腹の底で怪物どもに暴れられ、大地ガイアは苦しくてたまらない。そこで末子のクロノスに大鎌《おおがま》を持たせ、「いい子だからお父さんのアソコをちょん切ってしまいなさい」とそそのかす。

ウラノスがまたしても黒雲と共に降りてきて、大地に覆《おお》いかぶさったとき、クロノスは山陰から飛び出し、ウラノスの男根をスパッと切り取って、ぽいと海に投げてしまう。哀れウラノスは呻《うめ》き声をあげ、血の雨を降らせながら天空に逃げ帰る。が、彼の巨大な男根は波のまにまに漂い、溢《あふ》れ出た精液は泡（ギリシア語でアフロ）とたわむれ、世にも美しい女の子が生まれる。そして貝の舟に乗って揺られているうちに成人し、花恥ずかしい乙女になってキプロス島に流れ着く。

こうして美と愛と航海の女神アフロディテが誕生した。この情景をテーマにした絵画や彫刻は無数にあるが、ウフィッツィ美術館にあるボッティチェリの「ヴィーナスの誕生」、国立ローマ博物館にある石彫「ルドヴィシ玉座のヴィーナス」は特に名高い。

前身は古代オリエントの豊饒《ほうじょう》の女神

神話学者はこう解釈している。

古代オリエントに、女性美とセックスと豊饒をつかさどるアシュタルテという女神があった。女性のセックスは豊饒、つまり農作物がよく実り、家畜がよく増殖することのおまじない、あるいはシンボルとして、東西を通じ広く女神信仰と結びついていた。アシュタルテもその一種であった。そのアシュタルテの信仰が、先進文化と共にオリエントからギリシアに伝わり、アフロディテになった。

ボッティチェリの「ヴィーナスの誕生」

アフロはギリシア語で泡を意味するので、アフロにこじつけて、ウラノスの男根から出た精液と海の泡が一緒になって、女神アフロディテが生まれたという神話が後から作られた。アフロディテという神名が先にあり、誕生説話が後から作られた、と考えるわけ。

このように名称が先にあって、後から由来がこじつけられた例はほかにも多い。これを神名説話、地名説話などという。

クロノス、次々にわが子を呑《の》み込む

さて、天下を取ったクロノスは、自分もまた息子に支配権を奪われることを恐れ、生まれ出た子を次々に呑み込んでしまう。呑み込まれた子は、上から順にヘスティア女神（家庭の炉の象徴）、デメテル女神（穀物の象徴）、ヘラ（主婦の座の象徴、後にゼウスの妻になる）、それから男神のプルートン、ポセイドンであった。

クロノスの妻レアーは頭にきて、最後に男の子ゼウスが生まれたときは、石をムツキにくるんでクロノスに渡し、「今度生まれた子はこれです」といってごまかしてしまう。そしてゼウスをクレタ島のイダ山の洞窟《どうくつ》に隠し、ニンフたちに頼んで養育してもらった。

ギガントマキア（部分）。ベルリンのペルガモン博物館

巨人族と神々の戦い〝ギガントマキア〟

クロノスはムッキにくるんだ石を呑み込んで平然としている。レアーは何とかしてほかの子供たちもクロノスの腹の中から出してやりたいと思う。母のガイアが一計を授け、クロノスをだまして強力な嘔吐剤《おうとざい》を飲ませた。効果はテキメン。まず石がコロッと一つ出てきて、その後からポセイドンなど、子供たちが次々に出てきた。

陽の目を見た子供たちは、野蛮な父親クロノスとその兄弟である巨人たちに戦いを挑む。これをギガントマキア（巨人戦）といい、よく群像彫刻の題材になっている。

最も有名なのは、ベルリンのペルガモン博物館内に移築されているゼウス祭壇の雄大な高浮彫で、もとは小アジアのペルガモンにあったものだ。ギガントマキアは野蛮に対する文明の勝利の象徴とされている。前二世紀にペルガモン王エウメネス二世が、侵入してきたガリア人を撃退した記念にこれを造った。

なお高浮彫というのは、半ば立体的で丸彫に近いような浮彫のこと。

三兄弟で天・海・冥界《めいかい》の支配を分ける

この巨人戦は一〇年も続き、やっと若い世代の勝利に終わった。巨人族を地底に閉じ込め、若い世代の天下が始まる。

六人のうち三人は女神であるから、長子プルートン、次子ポセイドン、末子ゼウスという三人の男神で、天・海・冥界の支配をクジ引きで分けることになった。クジの結果、プルートンは冥界、ポセイドンは海、ゼウスは天の支配者となる。天を支配するゼウスは結局、地をも支配する結果になり、末子ながら天上天下の主人公におさまってしまった。

海神ポセイドンとトリイトン

三叉《みつまた》のホコを手に、海馬の車を駆り威風あたりを払って登場する海の神

噴水や泉を飾る彫刻群のスター

冥界《めいかい》の神というと縁起でもないから、プルートンの神殿や神像が残っている例は極めて少ない。

それに対し海の神ポセイドンは、ギリシア人がよく海上で活躍した民族だったせいもあって、各所に神殿遺跡や神像が残っている。また噴水や泉を飾る彫刻群の主役になっていることも多く、観光とは縁が深い。ローマ神話のネプトゥーヌスと同一視され、英語ではネプチューンと呼ばれている。

ポセイドンの住居はエーゲ海の底深く、黄金の光きらめく宮殿である。そこから海馬のひく馬車に乗り、あちらこちらに現われる。海馬はもちろん想像の動物で、前半

ボローニャの中心ネットゥーノ広場にある「ネットゥーノ（ポセイドン）の泉」

身は馬、後半身はイルカのようだ。泉の彫刻やモザイクによく登場するが、有名なところでは「トレヴィの泉」の海馬がある。

　ポセイドンはいつも手に三叉の戟《ほこ》を持っている。このホコを下に向けると海が荒れて、波が逆巻き起こり、上に向けると静かになると信じられていた。三叉のホコはポセイドンのトレードマークみたいなもので、これを手にしている像はポセイドンだと思ってよい。

海の荒々しさをイメージした神

ゼウスが酸《す》いも甘いもかみ分けた円満な親父《おやじ》という性格を持ち、対立抗争のまとめ役をよくつとめるのに対し、ポセイドンは粗削りで猛々《たけだけ》しい性格を持っている。いったん荒れだすと人間技ではどうしようもない、海の猛々しさを象徴しているのかも知れない。

女性に対するやり方も違う。ゼウスは何かに姿を変えて巧みに女性に近づいたり、優しく口説いたりするだけだが、ポセイドンは腕ずくで掠奪《りやくだつ》してしまう。古い時代にどの民族にもあった掠奪婚の習慣が、このような形で神話として残ったのだろうといわれている。

息子のトリイトンは噴水彫刻の人気者

エーゲ海クルーズでよく行くミコノス島の南方に、ナクソスという島がある。昔々この島にネーレウスという英雄が住んでいて、美しい娘がたくさんいた。娘たちが海岸で輪になって踊っていたところ、その中でもとりわけ美しかったアンフィトリテーにポセイドンが目をつけ、波間から海馬に乗って現われ、ムリヤリ抱きかかえて連れ去ってしまった。

ポセイドンによってアンフィトリテーは身ごもり、息子トリイトン（イタリア語ではトリトーネ）を生んだ。トリイトンは下半身は魚（または蛇）の形をし、ホラ貝を手

ローマのバルベリーニ広場にある「トリトーネの泉」

にしている。トリイトンの役割は親父ポセイドンの助手といったところ。もともとは別系統の海神だったものが、ポセイドンの息子として位置づけられたのであろう。

どこでも噴水の彫刻にはトリイトンがよく使われている。ホラ貝という持物は水を噴出させるのに好都合だし、下半身が魚だということは造形的に面白く、水ともよくマッチするからだろう。ローマのバルベリーニ広場にある「トリトーネの泉」はことに名高い。イタリアの名所案内を兼ねていて、愛読者が多いアンデルセンの名作『即興詩人』では、この「トリトーネの泉」が冒頭に出てくる。

農牧業の守り神ゼウス

雲を集め、雷鳴をとどろかし、恵みの雨を降らせてくれる神様

遠い昔の末子相続制の名残りか

クロノスといいゼウスといい、末子が跡を継ぐ形になっているのは興味深い。ゼウスの場合、神話ではクジ引きで決まったことになっているが、それは古い時代の末子相続制の反映ではないかという説がある。上の息子たちが一人前になる頃、父親はまだ働き盛りであるから、息子たちに土地や家畜の群を分け与えて分家させる。そして末子が一人前になる頃は、父親もだいぶ年を取って弱ってくるので、一切を末子に譲って選手交代するというのが、末子相続制だ。

神話は、それを作り上げた人間社会の反映にほかならないから、遠い昔の末子相続制の名残りが、こんなところに表われているのではないかというわけ。

ゼウスは印欧語族に共通の天空神

ギリシアの神々には枕詞《まくらことば》がある。例えば、「遠矢射る」とくれば、必ず「アポロン」が続く。ゼウスの枕詞は「むら雲集むる」「雷鳴とどろかす」とか「雨降らす」など。またゼウスの武器は雷《いかずち》であり、雷を投げつけて敵をやっつけるという話がよく出てくる。

神話学者によると、ゼウスはもともと天空を支配する神であった。三兄弟の末っ子なのに、クジでたまたま天空の支配権を引き当てたというのは、後から作られた神話である。ゼウスの起源は非常に古く、インド・ヨーロッパ語族に共通している天空神で、例えばインド神話のディヤウスとも語源は同じだ。

ローマ神話のユピテルとは最も近い関係にある。ユピテルとはイウ・ピーテル（父なるイウ）という意味。ギリシアでもゼウ・パーテル（父なるゼウス）と呼んでいた。イウとゼウは語源が同じであるばかりではなく、神としての性格も非常に似通っていた。ローマ人がゼウスとユピテルを同一視したのも当然である。

雨を降らせてくれるありがたい神様

ギリシアには水量の豊かな川が少なく、農業はほとんどの地域で天水に頼っていた。それなのに夏は雨が極端に少ない。むら雲を集め、雷を落とし、夕立をザーッと降らせてくれるゼウスは、いちばんありがたい神様であった。

陽光はいつもあり余るほどあり、乾ききった畑や牧草地が烈日にさらされることはむしろ有害でさえあったから、太陽はそれほどありがたい存在ではなかった。太陽を神格化したヘリオス（しばしばアポロンと同一視された）があまり重視されなかった理由はそんなところにある。

ゲルマン神話のドナールとも親類

ゲルマン人はドナールあるいはトールと呼ばれる天空神を尊崇していたが、この神様の武器も雷で、やはり風雨神という性格を持っていた。ローマ人はこのドナールあるいはトールをユピテルと同一視した。

ゲルマン人がローマ人の七曜神の考えを取り入れたとき、ローマ人が「ユピテルの日」と呼んでいた木曜日を「ドナールの日」あるいは「トールの日」と呼ぶようになったのはそのため。ドイツ語の Donnerstag、英語の Thursday がこれに当たる。なおドイツ語では今でも Donner といえば雷のこと。

なぜゼウスは女性にモテたか

絵画彫刻の説明を生き生きとさせる人間臭い魅力に溢《あふ》れた神話の数々

ゼウスは家長、ヘラは主婦の座の象徴

ゼウスは神々の家長であり、人間社会の家長権のシンボルでもあった。ゼウスの妃《きさき》はヘラで、ローマ神話のユーノーと同一視された。前記のようにヘラはクロノスの三女であり、ゼウスには実の姉に当たる。なにしろ天地創造から間もなくのこと、神々の数もごく限られていたので、きょうだい同士結婚するほかはなかったのだ。

ヘラは主婦の座を象徴する女神で、たいへんなヤキモチ焼きだった。さすがのゼウスも、この名実ともの姉さん女房には頭が上がらず、いつも浮気の尻尾《しっぽ》をつかまれては、ギューギューしぼられることになっている。

家長権が強大だった古代ギリシアにおいても、やはり、主婦は隠然たる発言権と影響力とを持っていた証拠といえようか。

それにしてもゼウスの浮気ぶりはすごい。神様、巨人族、人間を問わず、きれいな女性と見たらたちまち関係を持ち、子を生ませてしまう。ギリシア神話が世界無類の人間臭い、面白い神話だといわれる理由の一つがここにある。

美しい女性をものにするために、ゼウスは、あの手この手と秘術を尽くすことになっている。その中から、絵画や彫刻によく登場する話をいくつかご紹介しよう。

夫そっくりに化けて人妻に接近

ゼウスが、アンピトリオンの貞淑無比な妻アルクメネを見染めたときのこと。並みの手段ではダメだと考え、夫が戦陣に出て凱旋《がいせん》してくる前の晩に、ゼウスは夫の姿に化けてアルクメネの家に行く。神様だから、そっくりに化けることなんか朝飯前だ。「あなた、早く帰ってきてくださって嬉《うれ》しいわ」てなことで、その夜二人は大いに楽しんだ。

が、翌朝になると、またもや夫が戦塵《せんじん》にまみれて帰ってきた！　とんちんかんな問答のあげく、やっと昨夜訪ねてきたのはゼウスだったことが分かる。

月満ちてアルクメネは双子《ふたご》を生んだ。神性は必ずしも優性遺伝しないらしく、双子の一人は神性を備え、一人は人性を備えていた。神性を持っていた方が、後に怪力無双のヘラクレスになる。

白い雄牛の姿になって娘を誘拐

時は春。例によってゼウスがオリンポス山上の宮居から下界を眺めていたところ、フェニキア（レバノン）の海岸で見目うるわしい娘が一人、野の花を摘んでいるのが目に入った。オリンポス山からレバノンまでは一二〇〇キロ以上あるが、神様は視力がよい。

奥さんのヘラに「ちょっと散歩に行って来るよ」といい残し、ゼウスは空を飛んでレバノンの海岸へ。そして雪のように白い雄牛に化けて娘に近づいた。娘はこの珍しい雄牛に興味をひかれ、摘んでいた花をやったところ、雄牛は嬉しそうに目を細めながらすり寄ってくるではないか。娘はすっかり安心し、白い雄牛に乗って春の海辺の散歩としゃれこむ。雄牛は何食わぬ顔で浅瀬を歩いていたが、やがて猛然と沖に向かって泳ぎ出す。はっと気がついたときはもう手遅れだった。娘は、波を蹴立《けた》てて突進する雄牛の角につかまっているだけで精一杯。

この情景は非常に動的なので、昔から多くの画家や彫刻家たちにインスピレーションを与えたらしく、いろいろと作品が残っている。

娘の名がヨーロッパの語源？

娘はクレタ島に連れて行かれ、そこの山中でゼウスとねんごろになった。彼女が生んだ三人の息子のうちの一人が、後にクレタ王になったミノスである。

娘の名はエウロペー Europe。これからヨーロッパ Europa という地名ができたという話になっている。が、事実は逆で、Europa という地名が先にあり、後から Europe という娘の物語を創作して因縁話にしたのだろうと学者は考えている。いわゆる地名説話である。

一人娘ダナエを塔上に閉じ込めたが

話変わって、舞台はギリシアのペロポネソス半島へ。

アテネから日帰りの旅でペロポネソス半島へ行くと、昼食はよくナフプリオンでとるが、そのナフプリオンからちょっとミケーネ寄りにティリンスという遺跡がある。巨石を積み上げた見事な城郭が残っており、ミケーネ時代の代表的遺跡の一つ。

巨石を積み上げたティリンスの城郭

なおミケーネ時代というのは、われわれに馴《な》染《じ》みの深い古典古代に先立って、ミケーネ文化と呼ばれる特異な文化がギリシアの地で栄えていた時代のこと。前一六〇〇年頃から前一一〇〇年頃までに当たる。

昔々そのティリンスにアクリシオスという王がいた。子供はダナエという娘一人だったが、神託（現代の占いみたいなもの）をうかがってみると、ダナエの生んだ子は将来アクリシオス王を殺すだろうというお告げが出た。

王は大いに驚き、高い塔の上に青銅の格子《こうし》で囲った部屋を設け、その中にダナエを住まわせて、男は誰も近づけないようにした。ダナエはたいへん愛らしい娘で、しかも年頃だというのに、格子の中に閉じ込められて悶々《もんもん》としていた。

ゼウス黄金の粒になって格子を突破

ある夕方、ダナエが格子の間から空を眺めていると、むら雲が集まり、雷鳴がとどろいて、夕立が降ってきた。しかもそれは、ただの夕立ではなく、キラキラと美しく輝いているではないか。大粒の雨がザーッと格子の間から降り込んできたが、何とそれはみな黄金の粒であった。

驚いているダナエの目の前で、黄金の粒はサラサラと集まり、一人のハンサムな男に変わった。退屈しきっていたダナエは夢かとばかりに驚き、男のたくましい腕に身をゆだねた。

黄金の雨に変じて格子をくぐり抜けたのはゼウスであった。この情景も昔から多くの絵の題材になっている。

落胤《らくいん》ペルセウスが祖父を殺す結果に

アクリシオス王が気づいたときは既に遅く、ダナエは元気な男児を生んだ。一人娘と孫を殺す気にはなれず、王は二人を木箱に詰め込み、空気抜きの穴をあけて海に流した。箱は波に漂いながらセリフォス島に流れ着いた。

ピレウスからミコノス島へ船で行くとき、途中右側に見えるのがセリフォス島だ。

男児はこの島で育ち、ペルセウスという勇士になる。そして不思議な運命のめぐり合わせで、やはり祖父アクリシオスを殺す結果になった。

レダと白鳥から生まれた美女ヘレナ

レダという美しい女性が人気のない林間の湖で水浴していたら、見事な白鳥が近づいてきた。「まあ可愛《かわい》い白鳥だこと」といって抱きかかえたところ、実はその白鳥はゼウスが化けていたもので、やがてレダは身ごもる。

林間の湖、裸婦と白鳥という取り合わせがよいし、やや〝あぶな絵〟的な悩ましい魅力も出てくるせいか、この話も非常に多くの絵や彫刻のテーマになっている。

レダは人間の女だが、ゼウスが鳥に化けた影響で突然変異を起こして卵生になり、卵を二個生んだ。一個の卵からはカストルとポリデウケスという双子の男児が生まれ、ほかの一個からはヘレナという女児が生まれた。

長じるに及んで、ヘレナは人間界で最も美しい女とうたわれ、スパルタの王妃におさまった。そして夫の留守中、トロヤの王子パリスと恋におちいり、城の財宝をそっくり持って、パリスと駆け落ちしたため、トロヤ戦役が起こることになる。

民族の移動と征服の歴史を映して

そのほかにもゼウスは各地でいろいろと美女をものにし、子供を生ませたことになっている。なぜこのような神話が生まれたのか。学者の解釈は次の通り。

ギリシア人の先祖は、遠い昔にバルカン半島の奥地から何波にも分かれて南下し、現在のギリシア本土、エーゲ海の島々から小アジアの海岸までを征服し、定住した。当然、その土地土地には昔からの土着の神々があり、原住民の信仰を集めていた。また高度に文明の進んでいたオリエントと接した結果、いろいろとオリエント系の神々の信仰も入ってきた。

ギリシア人はこういう土着系および外来系の八百万《やおよろず》の神々を排除しないで、ゼウスを頂点とする自分たち本来の神々の体系に組み入れる途《みち》を選んだ。そしてゼウスがあっちこっちで女神や巨人族の娘と交わって、子供を生ませたという神話を作り上げた。

入り混じる土着系と外来系の神々

例えば、ギリシアの神々の中でも特によく活躍するアポロンやアテナは、ゼウスの子だということになっているが、実際はギリシア人の侵入以前からの土着の神であろうというのが、学者の考え。アフロディテがオリエント系の外来の神であろうということは前記の通り。

とにかく、どの神もゼウスと兄弟姉妹、親子あるいは孫に当たるという関係を作り上げることにより、八百万の神々の統一的説明が成り立つようにした。日本の神話でも、別々の勢力圏だった大和と出雲《いずも》の統合を図るため、天照大神《あまてらすおおみかみ》とスサノオノ尊《みこと》が姉弟だという話を作り上げたのに似ている。

ゼウスをダシにして先祖の箔《はく》づけ

次は生身の人間たちの話。

ギリシア各地に割拠した豪族たちは、みな自分たちがゼウスのご落胤の子孫であるということにして、血統に箔をつけたがった。ゼウスがエウロペーに生ませた子がクレタの王家の祖、レダに生ませた子がスパルタの王家の祖などという話が、こうして続々と編み出された。

王家の祖を神に求めるだけの話なら世界各地にあるが、ギリシア神話ではゼウスと女たちとの交渉が人間的で生々しく、しかも奇想天外より落ちるような意外性に富んでいるのが特徴だ。

遠矢射るアポロン

太陽、音楽、詩作、青春の苦悩の象徴、未来への予言、そして疫病《えきびょう》と医術の神

〝月と狩の女神〟とは双子《ふたご》の仲

アポロン（英語ではアポロ）は若い男性の象徴ともいうべき神。また太陽神ヘリオスともしばしば同一視された。竪琴《たてごと》、弓矢または月桂樹《げっけいじゅ》の枝を手にしていることが多く、若々しい力に満ちた姿が制作意欲をそそるのか、絵画、彫刻の題材としてよく取り上げられている。

アポロンの母は巨人族の娘レートー。非常な美人だったのでゼウスに目をつけられ恋仲になり、やがて身重になった。ゼウスの妃《きさき》ヘラはこれを知ってカンカンに怒り、全土に使いを出して「レートーに産室を提供してはなりませぬ」と触れさせる。

レートーは泣く泣くあちらこちらをさまよったが、エーゲ海の小島デロスが、やっ

とヘラの目を盗んでレートーをかくまってくれることになった。月満ちて彼女は双子を生んだ。一人は月と狩の女神アルテミス（ローマ神話のディアーナ）、ほかの一人がアポロンである。

アポロンの聖地だったデロス島

デロス島はミコノス島のすぐ近くにあり、エーゲ海のクルーズでもよく行く。古代にはアポロンの広大な神域があり、仲継ぎ貿易で栄えた港市もあったが、今では遺跡管理人しか住んでいない無人島である。

アポロンはこのようにゼウスの子としてデロス島で生まれたことになっているが、神話学者は別の解釈をしている。おそらくは小アジア起源の神で、ギリシア人の渡来以前から、エーゲ海の島々やギリシア本土の住民に信仰されていたのであろうという。

前470年頃の皿絵。
月桂冠と竪琴でアポロンと分かる

音楽、詩作そして青春の苦悩の象徴

ギリシアの神々はみな一定の管轄《かんかつ》事項を持っているが、アポロンの場合にはそれが極めて多岐にわたっている。

まずアポロンは竪琴が上手であり、音楽や詩作の守り神であった。竪琴を持っているアポロンの像はたいへん多い。

そのように音楽が得意で、ハンサムな独身青年だというのに、なぜかアポロンには美しい女性に片想《かたおも》いをして振られるという話が多い。ゼウスが、妻子ある壮年の身でありながら女性によくモテたのとは、だいぶ趣が違う。そのためアポロンは青春の苦悩のシンボルだったともいわれている。

アポロンの数ある失恋話の中でも、絵画や彫刻のテーマとして特によく登場するのがダフネとの件である。

愛欲の神をバカにしたがため

話はアポロンとエロースのやりとりから始まる。エロースはアフロディテの子で、恋と愛（性愛）をつかさどり、その黄金の矢で射られた者はたちまち愛欲に身を焦《こ》がし、鉛の矢で射られた者は相手を嫌い抜くようになるとされている。ローマ神話ではクピードーと呼ばれ、それが英語のキューピッド、愛称キューピーになった。

さて、「遠矢射る」という枕詞《まくらことば》からも分かるように、アポロンは弓の名手だ。小僧っ子のエロースが弓矢を振りまわしているのを片腹痛く思い、「おいチビ。弓矢は大人の勇士が持つものだ。子供のオモチャじゃないぞ」とからかう。

エロースも負けてはいない。「バカにしないでよ。ボクの矢だって凄《すご》い力があるんだぞ」とやり返す。

〝乙女のままでいたい〟と、樹《き》に変身

数日後、エロースは物陰からハッシと金の矢をアポロンの胸に射込む。同時に、河神の美しい娘ダフネの胸には鉛の矢を射込む。たちまちアポロンは恋に身を焼かれ、ダフネに愛を語ろうとするが、彼女はアポロンなんか大嫌いだと思う。いくらいい寄ってもダメなので、アポロンはついに頭にきて、力ずくでも想いを遂げようとし、ダフネを追う。

彼女は父なる河に向かって必死の思いで逃げるが、男の脚には勝てず、まさにつかまえられそうになる。「お父さん、助けて。死んでもわたしは乙女のままでいたい！」

河神は娘の願いを聞き入れた。彼女のしなやかな両手から、ハラハラと緑の葉が吹

き出し、身体《からだ》は乙女の形のままで、柔肌がゴワゴワした樹皮に変わっていく。彼女は美しい枝葉を持つ一本の樹と化してしまったのだ。

人々はこの新種の樹をダフネと呼んだ。英語ではローレル、日本語では月桂樹と呼ばれている樹である。ギリシアでは今でもこの樹をダフネと呼んでいる。

競技の優勝者に授けられた月桂冠

アポロンはまだ温かみの残っているダフネの樹に抱きついて、かき口説いたが、そよ風がサラサラと葉を鳴らすばかり。

「ああ何という姿になってしまったんだ。愛らしいダフネよ。これからは競技の優勝者も、詩作の入賞者も、その頭をお前の美しい枝で飾って栄誉を表わすことにしよう」

古代には、アポロンの神託で名高いデルフィで、四年ごとに大競技会が催され、全ギリシアから選手が集まった。ご承知のように、古代オリンピックも四年ごとに開催されたが、デルフィの大競技会はその三年後に催された。種目は運動競技のほかに詩作や音楽もあった。そして優勝者には月桂樹の枝を丸めた冠が授けられた。月桂冠とか桂冠詩人という言葉はここから起こった。

デルフィの競技場。手前にスタートラインが見える

デルフィはアテネからの日帰りの旅でよく行く所だが、今でも神域の最も上の方、岩山の絶壁の下に、立派な競技場が残っている。石積みの観客席や、スタートラインを切ってある石などに、往昔《おうせき》をしのぶことができる。

なお、この神話はダフネ（月桂樹）という樹がまず先にあって、アポロンとゆかりが深いとされていたのを、後から物語を作って結びつけたものであろう。これまた植物名説話の一つである。

伝染病はアポロンの祟《たた》りとされた

アポロンは疫病と医術をつかさどる神でもあった。例えば、ホメロスの叙事詩イーリアスは次のような話から始まる。

ギリシア勢はトロヤを攻めたが、トロヤの城壁は堅固で、トロヤ勢もまたよく戦い、なかなか陥落しそうにもない。そこでギリシア勢はトロヤを孤立無援にする作戦に出て、近隣の町々を攻め落とし、食糧や財宝を奪い、住民を捕虜にした。

そういう捕虜の中にひときわ美しい乙女クリュセイスがいたのを、ギリシア勢の総大将アガメムノンがわがものにした。セックスの奉仕をさせるのも思いのままという〝そばめ〟にしたのである。

彼女の父はアポロンの社に仕える神官だったが、莫大《ばくだい》な身代金《みのしろきん》を持ってギリシア勢の陣営にやってきて、娘を釈放してほしいと懇願した。諸将はみな「遠矢射る」アポロンの神威を恐れ、娘を釈放してやりたいと思い、何度もアガメムノンに申し入れたが、情欲に目がくらんだアガメムノンは聞き入れない。

空《むな》しく帰る道すがら、神官は涙ながらにアポロンに祈った。初めて事態を知ったアポロンは激怒した。ギリシア勢の陣営に近づき、銀の強弓を引きしぼって、まずロバや犬に片端から矢を射込む。動物たちは原因不明の病気にかかって、バタバタと倒れた。ついで恐ろしい矢は将兵に向けられ、疫病で死ぬ者が続出する。

この物語は、伝染病がアポロンの祟りと考えられていたことをよく表わしている。

矢で射られて全滅するニオベの娘たち

多くの芸術作品の題材にされたという点では、「ニオベの娘たち」の物語が代表例であろう。

ニオベという女は、器量よしの子供がたくさんいることを自慢してレートーに恥をかかせた。レートーは深く怨《うら》みに思い、わが子アポロンとアルテミスに頼んで仇討《あだう》ちをさせる。アルテミスは狩の女神で、女ながらも弓の名手である。二人は天から矢を放って、美しいニオベの娘と息子たちを一人残らず射てしまう。子供たちの数については異説が多く、ヘシオドスの神統記では二〇人、ホメロスの叙事詩では一二人になっている。

子供の器量よしが自慢で鼻持ちならぬ女がいたが、あるとき子供の一人が病気にかかり、次々と家内伝染して全滅してしまった。「それ見たことか。アポロンの崇りだ」と世人は取り沙汰《ざた》した。そんな事実がこの物語を生んだのであろう。

若い娘たちが空から矢で射られ、さまざまの姿勢で苦悶《くもん》するありさまを表現できるので、群像彫刻の題材として絶好と考えられてきた。フィレンツェのウフィッツィ美術館にある「ニオベの娘たち」はその一例。前四世紀初め頃のギリシアの彫刻をローマ時代に模作したもので、一五八三年にローマ市外のブドウ畑から出てきた。そのほか一体ずつばらばらになってはいるが、ニオベの娘や息子たちを表わしたギリシア彫刻の真作がローマ、ベルリン、コペンハーゲンなどの博物館にある。

医術はアスクレピオスの受け持ちに

アポロンはいわゆる「病い神」ではない。人を生かすも殺すも思いのまま。いうなれば疫病をコントロールしている神と考えられていた。そのためアポロンは医術の神でもあった。

ペルガモンにあるアスクレピオス神域の沐浴場

しかしアポロンの守備範囲があまりにも広すぎたためか、時代が下ると、医術はアポロンの子アスクレピオスの受け持ちということになった。もともとアポロンとは別個にアスクレピオスという医術の神があったのを統合して、アスクレピオスはアポロンの子だという話を作り上げたのであろう、と神話学者は考えている。

ギリシア時代中頃からローマ時代にかけて、アスクレピオスの神域は一大総合医療センターになり、アスクレピオスの神殿、治療所、患者のための宿舎、娯楽のための野外劇場など、大規模なものができた。

観光旅行でよく行く所では、ペロポネソス半島のエピダウロス、トルコのペルガモンに、医神アスクレピオス関係の壮大な遺跡がある。考古学者たちが発掘調査に基づいて明らかにしたところでは、治療法の中心は薬草療法であったが、外科的な処置や手術も行われたらしく、さまざまの形をしたメスやピンセットの類がセットになって発掘されている。興味深いのは、医神アスクレピオスの権威を利用して、一種の心理療法が行われていたことだ。患者はアスクレピオスの神殿に詣《もう》でたのち、籠《こも》り堂で一夜を過ごし、アスクレピオスが夢枕に立って、「汝《なんじ》の病《やまい》は癒《いや》されたり」というお告げをくださるのを待った。ペルガモンでは籠り堂が半地下式の洞窟《どうくつ》のような造りになっていて、天井に土管が組み込まれており、神官がその土管を通じて「神様のお告げ」をささやきかけたのではないか、と推察されている。病状に応じて軽い運動をしたり、野外劇場で心楽しくなるような喜劇を見たりすることも奨励された。

アテナ、アレース、ヘファイストス

知恵の女神アテナ、戦の神アレース
火と鍛冶《かじ》の神ヘファイストス

観光と縁の深いアテナ

アテネのパルテノン神殿をはじめとして、地中海世界の各地にはアテナ女神の神殿が数多くあった。また神話伝説の中でも盛んに活躍するので、アテナ女神は観光説明などにも非常によく出てくる。そしてローマ神話のミネルヴァと同一視されていた。学者は、アテナ女神はギリシア人渡来以前からの古い来歴を持つ土着神だと考えているが、神話では次のようにゼウスの長女だということになっている。

武装してゼウスの頭から生まれた女神

ヘシオドスの神統記によれば、ゼウスは成人してまず最初に知恵の女神メティスと

「嘆きのアテナ」。
アテネのアクロポリス博物館

契《ちぎ》りを結んだ。ヘラを妃《きさき》に迎えたのよりもずっと前のこと。ところが祖父母ウラノスとガイアが忠告していうには、「お前と知恵の女神との間に生まれる子は、男であれ女であれ、両親の長所を受け継いで武勇と知略にすぐれ、お前なんか負かしてしまうだろうよ。いつまでも天下を取っていたかったら、今のうちに何とかするんだね」

ゼウスはもっともだと思い、妊娠中のメティスを呑《の》み込んでしまった。このように呑み込むのは、ゼウスの父クロノス以来のお家芸だ。しかしメティスはゼウスの腹中で無事出産し、その赤ちゃんは這《は》い上がってゼウスの頭の中に入った。

ゼウスは頭が割れそうに痛くてたまらない。そこで斧《おの》で頭をちょっと切開したところ、甲冑《かっちゅう》をつけ、槍《やり》と楯《たて》を手にした女の子が飛び出してきた。それがアテナである

——というわけで、アテナはいつも冑《かぶと》をかぶった姿で表わされる。

武芸十八般から物作りまでの守り神

母の血を受けて、アテナは知恵の女神であり、技術の女神でもある。武芸も技術の一種だから、女ながらもアテナは武芸の女神とされた。武装してゼウスの頭から飛び出したという神話は、武芸の女神にふさわしい。

アテナは城市、都市国家（ポリス）の守り神という性格をも持ち、かの有名なアテネのアクロポリスばかりでなく、各地の都市国家のアクロポリスにおいてもよく祭られていた。

技芸の女神であることから、彼女の守備範囲は広かった。

女の必須《ひっす》の仕事とされていた糸紡《いとつむ》ぎと機織《はたお》りは、その中でも主要なもの。

男の仕事の分野においては、建築、造船、車大工、家具作り、陶器作り、サンダル作り、装身具作り、オリーブ油搾《しぼ》り、馬の飼育、乗馬術の守り神と、レパートリーは広い。名高いトロヤの木馬も、彼女の指導でできたとされている。

古代のアクロポリスには、こういういろいろな業種の職人が自分たちの守り神アテナに捧《ささ》げた絵馬や彫像が無数にあったという。

楯にゴルゴンの首が付いているわけ

アテナの楯、ときには胸甲には、まるまっちい顔つきの妖怪《ようかい》の首がついている。一目見たら、相手の人間は石と化してしまうという妖怪ゴルゴン（メドゥーサ）の首だ。なぜゴルゴンの首がアテナの楯についているのか。話は、ゼウスが黄金の雨と化して乙女ダナエに降り注いだ物語にさかのぼる。

二人の間に生まれた子はセリフォス島で育ち、ペルセウスという勇士になった。島の王ポリュデステースはダナエに懸想《けそう》したが、ペルセウスが邪魔でしょうがない。そこでペルセウスに難題を持ちかけ、恐ろしいゴルゴンの首を斬《き》り取ってこなければならないハメに追い込む。

幸いペルセウスには有力な助太刀がいた。凜々《りり》しい青年ペルセウスに秘《ひそ》かに惚《ほ》れていた女神アテナである。

彼女の口添えでヘルメス神が「隠れ冑」と「空飛ぶサンダル」を貸してくれた。「隠れ冑」をかぶれば誰からも見えなくなり、妖怪ゴルゴンの視線で石にされることもないし、「空飛ぶサンダル」をはけば、大空を自由に駆けめぐることができた。それを使ってペルセウスは、三人いたゴルゴンのうちの末娘メドゥーサの首をうまく斬り取った。が、斬り取られた首は、なおも見る者を一瞬のうちに石と化す力を失わなかった。

ゴルゴンの首を使ってペルセウスはいろいろと手柄を立てるのであるが、なにしろ自分も一目見たら最後、石になってしまうのだから、神経をすりへらすことおびただしい。とても人間が保管するには耐えないというわけで、アテナに奉納した。彼女はそれを自分の楯にはめ込んだのであった。

トルコのディディマにある巨大な「ゴルゴンの首」

戦の神アレースとマルス

アテナのほかに、ギリシア神話には戦の神アレースがいる。この神も起源は土着神と考えられているが、神話ではゼウスとヘラの子とされている。アテナとアレースはある程度まで守備範囲がダブっている。そしてアレースは男神なのに、なぜかアテナ女神に比べると影が薄く、神話伝説でもあまり華々しい活躍はしない。

ローマ人は自分たちの軍神マルスをアレースと同一視した。ローマの勃興期《ぼっこうき》にはマルスは重要な神として尊崇されていたが、爛熟期《らんじゅくき》に入るともっぱら間男という役割でよく壁画やモザイクに登場するようになる。ポンペイの壁画が好例だ。

話の筋はこうである。ヴィーナスの夫は火と鍛冶の神ヴルカヌスであるが、彼はさまざまの武器などを巧みに作る見事な腕を持っているけれども、武骨で醜男《ぶおとこ》で、とてもヴィーナスを満足させることはできない。そこでヴィーナスは美男子のマルスを引っ張り込んで情事にふけるが、ヴルカヌスに見つけられ、マルスはほうほうの態で逃げ出すというわけ。

こうなったら軍神もカタなしだ。この話は後世までよく絵の題材にされた。

元祖ヘファイストスは職人の守り神

ヴルカヌスはもともと火山活動が神格化されたもの。英語で火山のことをvolcanoというのはここからきている。ヴルカヌスは後にギリシア神話のヘファイストスと同一視されるようになり、鍛冶に巧みな神という性格が付け加えられた。

元祖ギリシアのヘファイストスについては、ヴルカヌスと違って、色っぽい話など

アテネのアゴラにあるヘファイスティオン

まったくない。そして女神ヘラがゼウスのやり方にむかっ腹を立てて、独りで生んだ子だということになっている。

ゼウスが男だてらに「頭から」女の子（アテナ）を生み、目に入れても痛くないというふうに可愛《かわい》がっているのを見て、ヘラは大いに自尊心を傷つけられた。そして「わたしだって独りで子供ぐらい作れますよ」と、ヘファイストスを生んだ。この息子は片足が不自由で風采《ふうさい》はあがらなかったけれども、鍛冶の名人になり、母親のために、またそのほか神々の求めに応じて、いろいろと素晴らしい物や便利重宝な物を作ってくれるようになった。

と、まあこのように神話では、ヘファイストスはヘラが単為生殖でもうけた子供だ。しかし実際はオリエント系の外来神であろうと、学者は考えている。

それはともかく人間界では職人たちにたいへん尊崇され、古代には各地に神殿が設けられていた。アテネのアゴラにあるヘファイスティオンはその代表格。この神殿は古代末期に教会に転用されたため、後世の破壊を免れ、今なおほぼ完全に古代のままの姿をとどめている。

この建物は、内側にアテネの英雄テーセウスの物語を表す連続浮彫が付いているため、かつてはテーセウスの神殿と間違えられ、テセイオンと呼ばれていた。周辺を発掘調査した結果、今ではヘファイストスの神殿すなわちヘファイスティオンであることが明らかになっている。

道と旅と商業の神ヘルメス

根っからの商売人とはこんなもの
ギリシア人がイメージした愉快な神様

トレードマークは〝蛇のついた杖《つえ》〟

ヘルメスはたいてい青年の姿で表わされる。絵画彫刻の主題によっては男児として登場することもある。ローマ神話のメルクリウス（英語ではマーキュリー）と同一視された。

トレードマークは「蛇の巻きついている杖」。商業の神様であるため、このマークは商科大学や商業高校の校章によく使われている。小さな翼のついた「空飛ぶサンダル」をはいていることも多い。

土地の境界石や分かれ道の標柱が起源

神話学者によれば、ヘルメスの起源はギリシア各地にあったヘルマという石の像。高さ一メートルあまりで、畑の境界、村の入口、街道の分かれ道などに立っていた。古い時代のヘルマは頭も手足もない、のっぺらぼうな石の柱みたいなもので、ただ像の中ほどに男根を象徴する出っ張りがついていた。時代が下ると、柱の上に頭と顔の形を彫り出したものになる。

ヘルマの役目は元来、土地の境界を明らかにしたり、分かれ道であることを表わしたりすることであった。男根の象徴がついていたのは、穀物や家畜の豊産を願う土俗信仰に由来する。

道ばたに立っていて旅人の目印になったので、やがてヘルマは道路交通、旅人、商人、飛脚ひいては通信一般の守り神とされるようになり、それがヘルメス神という形をとるようになったのだと学者は考えている。

日本の道祖神と同様の役割を果たす

この点でヘルメスは日本の道祖神にたいへんよく似ている。道祖神も、元来は丸い棒のような自然石で、畑の境界、街道の分岐点、村の入口などを示すために立てられた。そして道路や旅人の守り神と考えられ、また道路をフラフラとやってくる悪霊《あくりょう》をさえぎって、村に入れないようにしてくれる神という意味で「塞《さい》の神」とも呼ばれた。

道祖神は男性だけの場合もあるが、たいていは男女二体になっており、手を取り合っていたり、結婚を象徴する杯を持っていたりする。男女の和合を五穀豊穣《ほうじょう》のシンボルとする考え方は広く東西の民族に見られるが、ヘルメスと道祖神はこの点でも共通した性格を持っている。

「ディオニュソスをあやすヘルメス」。オリンピア博物館

祖父は天を支える巨人アトラス

神話では、ヘルメスの父はゼウス、母は巨人アトラスの娘マイアである。アトラスは、天が落ちてこないように重い天をいつも双肩《そうけん》で支えているという損な役割を受け持っている巨人だ。本来のギリシア神話では、ペロポネソス半島の西北に連なって

いる高い山がアトラスの姿だとされていた。ヘルメスもそこで生まれたことになっている。

後世、ローマの大詩人オヴィディウスが別の解釈をうたいあげた。地中海の西の果てに連なる高い山こそ天と地の接点であり、アトラスであると。そして巨人アトラスの絶えざる苦労に同情したプロメテウスが、メドゥーサの首を見せてアトラスを石に変え、ただじっとしているだけで天が支えられるようにしてやったのだと。

ここからモロッコ、アルジェリアを走るアトラス山脈の名が生まれ、また「アトラスのかなたの海」という意味から Atlantic Ocean の名が生まれた。日本では大西洋という素っ気ない名で呼んでいる海である。

母は〝すばるの七つ星〟の姉娘

アトラスには娘が七人あり、それが天に昇って「すばるの七つ星」になった。マイアはいちばん上の娘で、たいへんチャーミングだったため、ゼウスが恋心を抱く。マイアも「まばたき」を返した。そして二人の間に生まれた子がヘルメスだとされている。

道路の神から旅行、商業などの神に

ヘルメスは、神々の中でもいちばん若々しい。たいていは、少年から青年になりたてというほどの年頃で表現される。漫画の主人公と同じく、神様は年をとらない。あまり威張ったり気取ったりする様子はなく、若者の気軽さで、もっと年配の神々の用事や使い走りなどを引き受ける。古代ギリシア人はヘルメスに対し、そのようなイメージを抱いていたわけである。

たいていツバ広の帽子をかぶっているが、それは古代ギリシア人が旅行のときに用いた日除《ひよ》け帽そのものであった。道路の神から転じて、旅行、飛脚、商業の神になり、後世にはさらに追い剝《は》ぎや泥棒の守り神とさえ考えられるようになったというから、いつも日除け帽をかぶっていたのも当然だ。

牛を盗んだり、亀《かめ》で楽器を作ったり

ヘルメスの性格を物語る神話は数多くあるが、その中から絵画彫刻のテーマとして特にポピュラーなものをご紹介しよう。

ヘルメスは赤ん坊のときからすばしっこく、異母兄アポロンの牧場へ忍んで行って牛五〇頭を失敬してきた。「兄貴は物持ちなんだから、ボクのミルクの飲みしろぐらいはいいだろう」というわけ。そして五〇頭の牛をぞろぞろ曳《ひ》いてきたのでは足跡で行先がばれるので、牛にみなサンダルをはかせ、遠くピロスまで連れて行って隠した。

それから何食わぬ顔で母親のいるキリニ山中の洞窟《どうくつ》まで帰ってくると、洞窟の前に大きな亀が一匹いるではないか。ヘルメスはその亀を捕え、肉は食べてしまい、甲羅に木の棹《さお》をつけ、ガット（牛の腸の筋）を七本張って楽器を作った。これがギリシアで最初にできた弦楽器である。

後に商業の神様になっただけあって、ヘルメスは赤ん坊のときから新製品開発のアイデアにも優れていたことになる。

元はタダの楽器を牛五〇頭と交換

五〇頭の持ち牛が足跡も残さず消え去ってしまったため、アポロンは、しばらく途方に暮れていたが、そこは占いの神である。いつもは他人の願いを聞いて占ってやるのだが、このときばかりは自分のために占いの術を使い、牛泥棒がヘルメスであることをかぎつけて、キリニ山中の洞窟へやってきた。

しかしマイアは「こんな赤ちゃんがまさか……」と首をかしげるし、ヘルメスは知らん顔。怒ったアポロンはヘルメスを引っかかえ、親父《おやじ》ゼウスの所へ行き、何とかしてくれと訴える。ゼウスは神々の家長であり、もめごとを裁く役割を持っていた。ゼウスの命令でヘルメスはしぶしぶ牛を返すことになるが、そのときくだんの亀で作った弦楽器をポロンポロンと掻《か》き鳴らした。音楽の神アポロンはたちまちその妙《たえ》なる音に心を奪われ、ぜひその楽器を譲ってくれという。足もとを見たヘルメスは、たかが亀一匹と木片で作った物を牛五〇頭と取り換えるように、話をつけてしまう。

欲しくてたまらなかった牛五〇頭を、盗みおおすことには失敗したが、工夫と取り引きの力で結局は見事わがものにしてしまったわけである。こういう物語も関係して、後世ヘルメスが盗賊に頼りにされるようになったのかも知れない。

この話はまた、「元がどんなに安い物であろうと、買い手の願望にマッチすれば高く売りつけることができる」という、古代の交易の本質をついている。

次には葦笛《あしぶえ》を黄金の杖と交換

亀で味をしめたヘルメスは、今度は葦で笛を作り、アポロンの前でこれ見よがしにピーヒョロロと吹き鳴らした。これがギリシア最初の管楽器だ。案の定アポロンは葦笛が欲しくて矢も楯《たて》もたまらなくなり、ぜひ譲ってくれとヘルメスに頼む。

しかし取り引き上手なヘルメスはなかなかウンといわない。とうとうアポロンがいつも持ち歩いていた黄金の杖と取り換えることになった。ヘルメスは根っからの商売人、それに対しアポロンは芸術家肌で商才はゼロ、とイメージされているところが面白い。

この杖はアポロンが牛を追うのに使っていたものだが、材料が黄金であるばかりではなく、その一振りで人を眠りに誘うことができるという神通力を備えた貴重品だった。以来ヘルメスはその杖に、「知恵とすばしっこさ」の象徴である蛇を巻きつかせ、トレードマークのようにいつも持ち歩いているわけ。

昔は、旅人が道ばたで野宿を余儀なくされることも多かったであろう。ヘルマの立っている分かれ道にさしかかったが、もう日はとっぷりと暮れて、どちらの道がどちらへ通じているのかも分からない。「ままよ。明日の朝までここで一眠り」なんていうことがよくあって、ヘルメスと眠りの杖の神話が生まれたのかも知れない。

冥土《めいど》への道行きもヘルメスに守られて

ヘルメスはまた、生命を終えた人があの世へ旅立つときの道案内をしてくれる神だと信じられていた。なにしろ道と旅のことならヘルメスに任しとき、である。あの世への道行きも例外ではない。

ギリシア神話では、冥土の入口に三途《さんず》の川ならぬアケロン川があり、カロンという老人に舟で渡してもらわないことには、冥土に着けなかった。カロンは渡し賃として亡者《もうじゃ》一人につき一オボロスを徴収したから、古代ギリシアでは必ず遺骸《いがい》の口の中に一オボロスのコインを入れるのが習慣であった。

そのアケロン川のほとりまで連れて行ってくれるのがヘルメスであった。

庭園の飾りにされたヘルマ

このようなヘルメス神のもとになったと考えられるヘルマも、ローマ時代になるとすっかり宗教性が薄れて、庭園などの飾りとして立てられるようになった。この種のヘルマは各地の博物館にあり、頭部は立派な彫刻であるが、あとはただの石柱で、中ほどに男根だけがピョコッとついているので、すぐにそれと分かる。

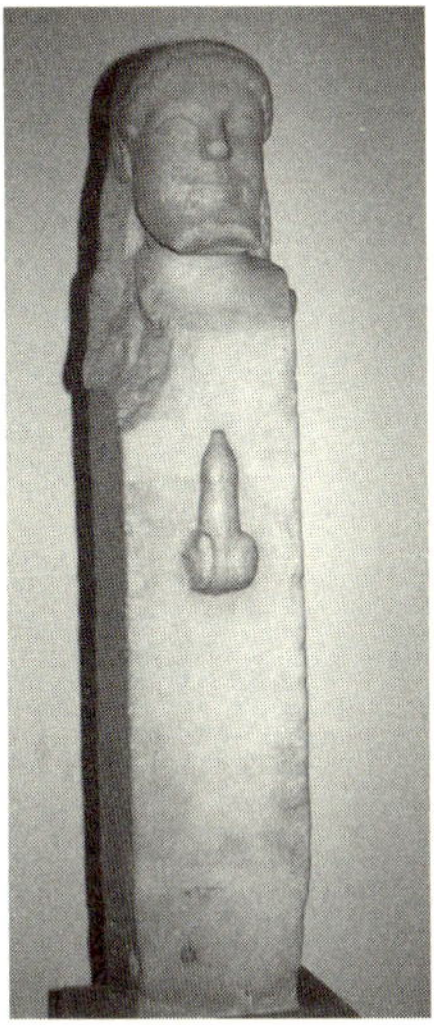
アテネの国立考古学博物館にあるヘルマ

ヘルマの男根は必ず勃起《ぼっき》した形になっている。といっても石柱から直角に突き出た形にするのは、多量の石材を削り落とさねばならないので面倒だったろうし、また折損する恐れもあったためか、まっすぐ上向きに勃起して、腹部にぴったりくっついた形にしてある。そして亀頭《きとう》もキンタマも草むらも極めてリアルに表現してあるのがふつうだ。

　アテネの考古学博物館にもヘルマが一体展示されているが、これはヘルマとしては例外的に小さいものだ。うっかりすると見過ごしてしまう。

　旅行でよく行く所では、コリント遺跡博物館の入口を入ってすぐの所に、かの有名なヘロデス・アッティクスを表わしたヘルマがある。ヘロデス・アッティクスはローマ時代の大富豪で、私財を投じ、各地で公共建造物の修復や新築を行なったことで知られている。

　デロス島のアポロン神域にもプロピュレイアのわきにヘルマが立っている。残念ながらこちらはかなり磨損が激しい。

ヘラクレスとアマゾン女族

片や豪勇ながら悩みも多い荒くれ男
片や女ばかりのモーレツ騎馬戦士

筋肉モリモリ、武骨な男の理想像

昔から男の一つの理想像とされてきたのがヘラクレスである。そのためヨーロッパの宮殿や庭園などには、必ずといってよいほどヘラクレスの像がある。

ヘラクレスの像は一目見るとすぐに分かる。筋肉はモリモリと逞《たくま》しく、太い首の上にのっている顔は義理にもハンサムとはいえないが、鉄のように強い意志を表わしている。そのくせ表情には深い苦悩のかげりがある。節くれだった太い棍棒《こんぼう》を持ち、頭付きのライオンの毛皮を腰にまとっていることが多い。口をグワッと開いたライオンの頭を、冑《かぶと》代わりに頭上にのせていることもある。棍棒と、頭付きのライオンの毛皮はヘラクレスのトレードマークだ。

今日まで残る獅噛《しがみ》の意匠

ヘラクレスは、仏教と共に日本まで伝わった唯一《ゆいいつ》の西洋の神様でもある。パキスタンとアフガニスタンにまたがっているガンダーラ地方へ行くと、ギリシア彫刻の影響を受けてできた仏教彫刻がたくさん残っているが、その中にヘラクレスそっくりの神像があり、棍棒を持ち、ライオンの毛皮をまとっている。

こういう像はガンダーラではヴィジュラパーニと呼ばれ、いつも釈尊につき従って釈尊を守護している。ヴィジュラパーニは「ヴィジュラを持つ者」の意で、中国では執金剛神《しっこんごうしん》と訳され、日本にも伝わった。

執金剛神や四天王などはみな仏法の守護者で、天部《てんぶ》と総称され、中国風の鎧《よろい》をまとっている姿が多い。その鎧には、帯や両袖《そで》をライオンが噛んでいる意匠がよく用いられ、獅噛と呼ばれている。この特異な意匠の起源はヘラクレスの「頭付きのライオンの毛皮」である。

赤ん坊のときに蛇を絞め殺す

前記のようにヘラクレスは、貞淑な人妻アルクメネに横恋慕したゼウスが、夫アンピトリオンそっくりに化けて想《おも》いを遂げた結果、生まれた双子《ふたご》のうちの一人。ゼウスの妃《きさき》ヘラは、それをかぎつけて嫉妬《しっと》に燃え、二匹の蛇をゆりかごに送り込んで、赤ん坊たちを亡《な》き者にしようとした。双子の一方のイピクレスは泣いて逃げたが、ヘラクレスは小さな手で蛇をつかみ、絞め殺してしまった。この有様を描いた絵や彫刻は各地にある。

ほかにもいろいろ不思議なことがあったので、アンピトリオン夫妻はヘラクレスが神様の血を受けた子であることを再認識する。なおアンピトリオンはティリンスの王族、アルクメネはミケーネの王族という名門だ。

武芸は抜群、竪琴《たてごと》はからきしダメ

少年になったヘラクレスは、アンピトリオンに戦車の操縦を、ほかの勇士たちに剣術、弓術、レスリングなどを習い、抜群の才能を現わした。

王族の子とあれば武芸だけではいけないので、オルフェウスの弟リノスについて竪琴も練習させられた。ところが武芸なら何でもござれだったヘラクレスも、琴を弾く段になるとぶきっちょで全く手も足も出ない。あまりのことにリノスは腹を立てて少年ヘラクレスをぶとうとし、少年は琴を振りかざして身を守ろうとした。それが偶然

前480年頃の皿絵。竪琴を習っているところ

リノスに当たり、リノスは頭の骨が砕けて死んでしまった。少年の怪力はもの凄《すご》かったのである。

神話は人間が作ったもの。一つ一つの神様の性格や行状には、それらを作り出した人間たちの願望が秘められている。ことに英雄伝説は、吟遊詩人たちが町から町へ、豪族の館《やかた》から館へと巡って歩き、ちょうど講談のように語り聞かせたもの。聞き手でありスポンサーでもある男どもの喝采《かっさい》を博すような物語が、どんどん付け加えられていったと考えられる。

ヘラクレス伝説を喜んだのは、力が人並みはずれて強く、武芸に秀《ひい》でていることを理想とした豪族の男たちであったろう。彼らは、教養のためということで竪琴を習わされて、教師に文句ばかりいわれると、竪琴で教師をブンなぐってやりたいと思ったに違いない。現実にはそれはできないので、少年ヘラクレスが竪琴で教師の頭をブチ割る話に、ヤンヤの喝采を送ったのである。

腕ずくで美女をねじ伏せる話の背後に

ヘラクレスと正反対のイメージを与えられていたのがアポロン。音楽が趣味で、竪琴や詩をよくし、いつも静かな顔つきをしている。遠矢を射て敵を倒すことは巧みだが、泥まみれになって格闘するのは性に合わない。いうなれば教養派の理想像だ。美しい乙女に恋をしても、たいていは追いかけまわすだけで、最後には振られてしまう。ヘラクレスは違う。美女に目をつけたら、相手が乙女であろうと人妻であろうと、お構いなしに腕力でねじ伏せてモノにしてしまう。そういう話がたくさん出てくる。この点もまた、武芸派の男どもがいつも夢に描いていた願望だったに違いない。願望が現実にどこまで実行できたか、実行できなかったかはともかくとして。

ギリシアの神話伝説には各地の王家の話がよく出てくる。これらの王家は今日の語感では豪族といったところ。彼らの先祖がゼウスの落胤《らくいん》とされている例が多いことは前述した。それより格の下がる豪族では、先祖がヘラクレスの落胤とされている例が多い。その意味でもヘラクレスは、各地で人間の美女たちとねんごろになる必要があったわけである。

ライオンを射止めてトレードマークに

そのほか、よく絵やモザイクの題材になっているヘラクレスの逸話には、次のようなものがある。

テーベの南にキタイロンという山塊がある。アテネからデルフィへ行くとき、高速道路を通らないで、エレウシス経由の近道をとると、この山塊を横切ることになる。さて、この山に一頭の獰猛《どうもう》なライオンが住んでいて、人里へ下りてきては牛をさらって行った。が、誰もみな恐れをなし、ライオンに立ち向かおうという者はいない。今や青年になったヘラクレスが、ライオン退治の役を買って出る。そして牙《きば》をむいて跳びかかってきたライオンを一矢で射倒す。以来、恐ろしげなライオンの頭は冑代わりにし、毛皮は衣の代わりにした。これがトレードマークの由来だ。

ヘラの嫉妬で乱心、妻子を殺す羽目に

ヘラクレスはまたテーベの宿敵オルコメノスの軍を散々に打ち破り、その功によってテーベの王クレオンから王女メガラを嫁にもらった。

面白くないのはゼウスの妃ヘラである。彼女は夫の浮気の相手を憎むこと、執念深

いことにかけては比類がない。今やヘラの憎しみは、夫の浮気の成果である青年英雄ヘラクレスに向けられた。そしてリュッサ（狂気）の女神を差し向けて、ヘラクレスを乱心させてしまう。

哀れヘラクレスは狂乱のあまり妻と子を殺す。正気に返って、自分のしたことを嘆き悲しみ、デルフィへ行ってアポロンの神託を仰ぐ。神託は「父の故郷ティリンスへ行き、領主エウリステウスに一二年間仕えて、彼が命じる一二の功業をなしとげよ。さらば汝《なんじ》の妻子殺しの罪は浄《きよ》められ、不死の身となって、神の一柱に加えられるであろう」と出た。

これが有名な「ヘラクレスの一二の功業」という話の発端だ。

数多い伝説のお家騒動も現実の反映

古代ギリシアの領主の間ではお家騒動がたいへん多かったらしい。テーベ、ミケーネ、ティリンスそのほか神話伝説で王家の話が出てくると、必ず骨肉相食《あいは》むお家騒動の物語が展開する。「ヘラクレスの一二の功業」の背景にも、ティリンスのお家騒動がある。

長い話を短くすればこうだ。ティリンスの王位は父の関係からヘラクレスが継げるはずだったのに、父の従弟《いとこ》に当たるエウリステウスが奪い取ってしまっていたのだ。そして今やヘラクレスはそのエウリステウスに仕え、その命令のままに功業をやり遂げねばならないのである。このヘラクレスの物語には、武勇に優れているのに、星のめぐりあわせが悪くて家長になれなかった戦士たちの怨《うら》みつらみがこめられている。彼らはヘラクレスの悲憤をわが身にひき比べながら、吟遊詩人の語るヘラクレスの武勇伝に聞き入ったのであろう。

エウリステウスは「王にはなったが品性下劣で、臆病《おくびょう》で、武芸はさっぱりダメ。本来ならば王になれるような器ではない。ずるいことだけは人後に落ちない人物」として描かれている。

〝ヘラクレスの一二の功業〟始まる

まず第一にエウリステウスは、ネメアの森に住む恐るべきライオンの皮を剝《は》ぎ取ってくるように命じた。このライオンは魔性で、不死身であった。ヘラクレスは手練の強弓でライオンを射たが、矢が当たっても何ともない。さらばと棍棒を振るってライオンを洞窟《どうくつ》に追い込み、腕でライオンの首を絞めあげて皮を剝いでしまった。

エウリステウスは本来なら王位継承者であるべきヘラクレスがうとましくてたまら

「ヘラクレスの12の功業」。モロッコのヴォリュビリスにあるローマ時代のモザイク

ない。てっきりライオンに噛み殺されたろうと思っていたのに、ヘラクレスが生還したから驚いた。そしてライオンの皮を見て、ヘラクレスの武勇に真底から恐怖を感じ、次にはどう考えても生きては帰れないヒドラ退治にヘラクレスを送り出す。

ヒドラは水棲《すいせい》の大蛇で、頭が九つもあり、しかもいくら頭を切り落としても、すぐに新しい頭が生えてくるという魔物。ヘラクレスは矢を射かけて大蛇を巣から追い出し、頭をスパスパ切ってまわる。そして助手としてついてきた甥《おい》のイオラオスが、燃えさかる薪《まき》を持って大蛇の首の切り口を焼いてまわり、新しい首が生えてくるのを防いだ。天上からこれを見ていたヘラ女神は、ヘラクレス憎しとばかり、化け物のようなカニを送ってよこし、ヘラクレスの足をはさませる。しかし彼はこの化け物ガニを踏み潰《つぶ》してしまう。

第一の功業で退治されたライオンは天にあげられて獅子座《ししざ》になり、第二の功業で退治された連中も蛇座やカニ座になりましたとさ。

第九の功業はアマゾン族の女王が相手

この調子で功業の話が何行も続くが、すっ飛ばして第九の功業「アマゾン族の女王ヒッポリテの帯を取ってくる話」にかかることにしよう。女の帯を取るということが何を象徴するかは明らかだ。しかも相手は女ながらも武勇に優れ、衆に恐れられたアマゾン族の女王である。

ギリシア神話によく登場するアマゾン族は、小アジアの奥の方から黒海にかけて住んでいたとされている民族。女ばかりで成り立っており、ふだんから武技を練り、狩猟を好み、戦には滅法強かった。いつも馬を乗りまわし、弓、槍《やり》、斧《おの》を武器とし、三日月形の楯《たて》を持つ。弓を引くのに邪魔にならないよう、幼女のうちに右の乳房を切除してしまう。

春になると大挙して隣国を襲い、男どもを手込めにして、無理矢理にでも交わらせる。そして子供が生まれると、女児だけを育て、男児は殺すか不具にしてしまう。そういう恐ろしい女戦士たちの女王の帯を取ろうというのだから、豪勇無双のヘラクレスといえども、果たしてどうなることやら。

吟遊詩人ならば、ここでひときわ激しくポロン、ポロロンと竪琴を掻《か》き鳴らし、

〽さらばでござる　皆の衆
　お次は明日の　お楽しみ

というところ。

心ならずも女王を殺して帯を奪い取る

ヘラクレスは船を仕立ててアマゾン族の国へ行く。うまいぐあいにアマゾン族の女王ヒッポリテが船まで訪ねてきて、武勇を尊ぶ者同士のよしみで、二人は意気投合する。ヘラクレスがいいにくそうにして、「実はあなたの帯が欲しい」と切り出すと、女王はお安い御用とばかり帯を解いてくれそうになる。

そのときである。天上から一部始終を見ていたヘラ女神は、またもや悋気《りんき》に身を焦《こ》がし、ヘラクレス憎しの一念から、ただちにアマゾン族に変身。「ヘラクレスがわた

したちの女王をさらって行くよ」と触れまわる。

デマに踊らされたアマゾン族が押っ取り刀でヘラクレスの船を取り囲む。「しまった。ワナにかかった」とヘラクレスは思い込み、今はこれまでと女王を殺して帯を奪い取り、群がるアマゾン族と戦いながら船を沖へ出す。

女王の美しさにアキレウスも呆然《ぼうぜん》と

ヘラクレスとは関係ないが、アキレウスとアマゾンの女王の話もよく壺絵《つぼえ》などの題材になっている。

トロヤ戦争のときアマゾン族はトロヤ方を応援しにやってきた。ギリシア方の英雄アキレウスはアマゾンの女王ペンテシレイアに一騎打ちを挑む。そして女王を押し倒し、白い胸にグサッと剣を突き立てた瞬間、女王のあまりの美しさに思わず呆然として立ちすくむ。

それを見た味方のテルシテスに冷やかされ、カーッとなったアキレウスは力まかせにテルシテスをぶんなぐる。哀れテルシテスはぶっ飛ばされて死んでしまった。

猟奇に満ちたアマゾン伝説の真相は?

アマゾンの伝説がどうして生まれたかについてはさまざまの説がある。ギリシア人好みの単なる空想だという説。旅人のホラ話を、「こいつは面白い」というわけで、ホラと知りつつ語り継いだのだろうという説。

黒海沿岸から奥地へ入ったあたりに、髪が長く、ヒゲが薄く、乗馬にたけた遊牧民族がいて、ときどきギリシア人と接触があり、騎馬の集団でギリシア本土へ侵入してきたこともあったという遠い昔の記憶が、アマゾンの伝説として残ったのだろうという説、などなど。アマゾンの騎馬集団が侵入してきたという伝説は、アテネをはじめギリシア本土の各地に残っているそうで、遊牧民説を裏付けている。

ここまでは神話伝説で、次は実話である。インカ帝国を征服したスペイン人が、アンデスを越えて東側の平原まで下りて行ったとき、原住民は女までもが弓を取って勇敢に抗戦した。これこそ伝説のアマゾン族そっくりだというわけで、そこを流れる大河をアマゾンと名付けた。

女神アルテミスとニンフ

人間も動物も性によってしか生まれない
不思議さと、性への恐怖が神話化されて

月と狩の女神アルテミス

アルテミスはローマ神話のディアーナと同一視され、絵画や彫刻によく登場する。額の上に三日月の印をつけているのがトレードマーク。弓矢を手にし、ニンフたちや、鹿《しか》そのほかの森の動物たちを供に連れていることも多い。

神話ではアルテミスはゼウスとレートーの子で、アポロンとは双子《ふたご》の間柄とされている。しかし実際はギリシア人渡来以前からの古い土着神で、その起源は小アジアの地母神であろうと神話学者は考えている。後からきたギリシア人がその信仰を取り入れ、ゼウスの子だということにして、ギリシアの神々の体系に組み入れたと考えるわけである。

古くは豊饒《ほうじょう》の女神だった

アルテミスもアポロンと同じく守備範囲が広いが、メインは野生動物と狩の女神だ。野生動物の守り神と狩の神が同一であるというのは、現代人の感覚からすると矛盾しているが、古代人は野生動物が豊富にいることと、狩の獲物が授かることとを、ひとしく神の恵みと考えたのであろう。

小アジアではアルテミスはもっぱら地母神、豊饒の女神として信仰されていた。エーゲ海クルーズやトルコの旅でよく行くエフェソスには巨大なアルテミスの神殿があり、古代世界七不思議の一つに数えられていた。今でもエフェソスの都市遺跡はよく残っているが、アルテミスの神殿は大きな石柱が一本残っているだけだ。

多数の乳房を持つアルテミス女神の像。エフェソス博物館

エフェソス（現代名セルチュック）の博物館には、胸いっぱいに何十という乳房が群がりついているアルテミス女神の像がいくつもあり、豊饒の女神であったことを如《によ》実《じつ》に示している。

エーゲ海の島々やギリシア本土でも、地域によってアルテミスは地母神、安産の守り神、女の病をつかさどる神として崇《あが》められていた。この方がアルテミス信仰の本来の形だったろうと、学者は考えている。「潔癖極まる処女神で、お供のニンフが純潔を失うと厳罰に処した」というような神話は、後からつけ加えられたと解釈するわけである。

アルテミスが月の女神であるという神話はさらに新しく、アポロンが太陽の神と同一視されるようになってから、双子の相棒であるアルテミスが月の女神だとされるようになったもの。

情欲の犠牲にされたニンフの物語

アルテミスとお供のニンフたちにまつわる神話は数多くあるが、カリストーの話は代表的なもの。

美しいニンフのカリストーが森の樹陰でうたた寝をしていると、かねて彼女を狙《ねら》っていたゼウスがアルテミス女神に化けて接近し（化けるのはゼウスの十八番）想《おも》いを遂げてしまった。やがて彼女はお腹《なか》が大きくなってきたのを見とがめられ、女神のもとから追放される。そしてアルカスという男児を生んだ。

ヘラは例によってゼウスの浮気の相手に嫉妬《しっと》の炎を燃やし、カリストーを大きな熊《くま》の姿に変えてしまう。心は人間の女のままでありながら、姿も声も熊になって彼女は森の中をさまよわねばならなかった。

あるとき彼女は、森へ狩にきた息子アルカスとばったり出会う。彼はもう、一五歳の凛々《りり》しい少年に育っていた。いとしさの余り、思わず声をあげて走り寄ろうとするカリストー。しかし、彼女の声は熊のうなり声にしかならなかった。母親の変わり果てた姿とは露知らぬ少年は、手練の投げ槍《やり》を構えて、ハッシとばかり……。

そのとき遅く、かのとき早く、責任を痛感したゼウスが割って入り、二人をかっさらって天にあげ、星座にした。それが大熊座と小熊座だとさ。

そのほか、水浴しているアルテミスの裸身をかいま見た男が、厳しい罰を受けたという話も多い。古代の男たちの出歯《でば》亀《かめ》趣味を反映しているのであろう。

ニンフの神殿は水飲場を兼ねていた

ニンフはもともと泉の精であり、泉を擬人化したものだった。フロイトの心理学でも、泉は女性の性的なシンボルであると考えられている。

古代遺跡にはよくニンフェイオン（ラテン語ではニンフェウム）と呼ばれる神殿がある。それは水の精を祭った神殿であると同時に、水飲場の役も果たしていた。泉の水を引いてきて、上段の水盤にたたえられた水は人間が飲み、溢《あふ》れ出て下段の水盤にたまった水は家畜が飲めるようにしてあった。

兵士と乙女 〝トレヴィの泉〟の伝説

泉の精を乙女とする伝説はたくさんある。ローマの「トレヴィの泉」の伝説もその一つで、背景になっている建物の壁にその伝説を表わした浮彫がある。

昔々、戦が終わって家路を急いでいた兵士たちの一団があった。喉《のど》がカラカラに渇ききっているのだが、どこを探しても水は一滴もない。そのとき一人の乙女が現われ、「こちらへいらっしゃい」という。乙女について行くと、山あいの豊かに水が湧《わ》き出ている泉に着いた。兵士たちはわれ先にと身を投げ出し、泉に口をつけて水をむさぼり飲んだ。満足して皆が立ち上がり、乙女に礼をいおうとしたところ、乙女の姿は消えてなくなっていた。「さてはあの乙女は泉の精だったのか」と、兵士たちは初めて気がついた。以来この泉は「乙女の泉」と呼ばれるようになった。

ローマのナヴォーナ広場にある「四大河の泉」

今も流れ続けている〝乙女の水〟

兵士と乙女の話は伝説であるが、話のもとになった泉は実在する。

前一九年、アウグストゥスの娘婿《むすめむこ》アグリッパはこの泉からローマ市内まで、延々二〇キロに及ぶ水道を築いて水を引いた。当時ローマはアウグストゥスの治下で繁栄し、人口が急激に増え、水不足が深刻だったので、この水道は大いに喜ばれた。水源にちなんでこの水道も「乙女の水道」と呼ばれた。イタリア語で Acqua Vergine だから、直訳すれば「処女の水」である。

この乙女の水道は二千年後の今も健在であり、「トレヴィの泉」をはじめ、スペイン広場の

「バルカッチャの泉」、ナヴォーナ広場の「四大河の泉」などに水を供給し続けている。

ただし現在これらの泉を飾っている彫刻群は、いずれも一七、一八世紀のバロック時代にできたもの。泉そのものはローマ時代からあり、市民に上水を供給していた。

神話伝説に名を借りた肖像画

画中の人物たちが揃《そろ》いも揃って
じっとこちらを見ているわけ

神様という名目で公爵《こうしゃく》夫人のヌードを

西洋の絵には神話を題材にしたものが多い。一九世紀以前についていえば、絵の少なくとも八割以上は神話伝説画か宗教画だといってもよい。現に生きている人の肖像画でも、わざわざ神話伝説中の人物に見立てて描くということがよく行なわれた。

ウフィッツィ美術館に「ウルビーノのヴィーナス」という有名な絵がある。美しい女性がヌードで長々とベッドに横たわっている図だ。画家はティツィアーノ、注文主はウルビーノ公、モデルはウルビーノ公夫人。彼女は当時のイタリアで最も高貴な美しさに満ちた女性だという評判が高かった。ウルビーノ公はルネッサンス期イタリアの戦国時代にあって、武将として勇名をはせた人物だが、珠玉のような夫人のヌード

「ウルビーノのヴィーナス」。
フィレンツェのウフィッツィ美術館

姿を永遠に画布にとどめておきたかったのであろう。

が、公爵夫人が裸婦になっては社会通念上まずい。そこで、現に生きている人の肖像でも神話伝説中の人物に見立てて描くという習慣をうまく利用し、実質は公爵夫人のリアルなヌードなのだけれども、名目は美と愛の女神ヴィーナスの絵だということにしたのであった。

聖書の情景を借りた有力者の群像

同じような例はほかにも多い。

ヨーロッパでは、有力商人の組合が都市の実権を握っていることが多かったが、彼らはよく自分たちの群像を画家に描かせ、市役所や組合会館に掲げた。今なら記念撮影をするところを一幅の絵にしたのである。

ルーヴルにヴェロネーゼの「カナの婚宴」という大幅の絵がある。イエスがガリラヤのカナという町で結婚式に招かれ、壺《つぼ》の水をブドウ酒に変えて、人々を驚嘆させたという話が主題になっている（ヨハネ伝二章）。前景に給仕女と大きな壺が描かれているのは、水がブドウ酒に変わったという奇跡を表わしている。中央に座って、後光が差している人物がイエス。これは恐れ多いから、誰の肖像画にもなっていない。しかしほかの登場人物はすべて、使徒たちも含めて、当時のヴェネツィア共和国の有力商人たちの肖像画になっている。「黄金の書」に登録され、ヴェネツィア共和国の支配権を握っていた特定の大商人たちである。

〝オレの顔を正面から描け〟と要求

共和国統領（ドージェ）はイエスの第一の使徒ペトロとして描かれ、以下、絵の中での役柄や席の高下は、現実の地位や勢力の高下を反映している。そして役柄や席はどうであれ、こういう絵の中に描かれるということ自体がたいへんな名誉であり、特権的地位の証明であった。当然、誰もが自分の顔をはっきりと正面から描くことを要求する。そのためこの種の絵には必ず無理があり、構図の不自然さが目立つ。

そういう要求に迎合することなく、あくまでも自分の信念を通し、「絵としてすぐれている」ように描こうとした画家も、ごく少数ながらいた。レンブラントはその代表格である。しかしそういう画家はだんだん嫌われて、注文がこなくなり、貧乏に苦しまねばならなかった。あれだけの腕前を持ちながら、晩年のレンブラントが窮乏の日々を送らねばならなかったことは世に名高い。

II キリスト教と祭日

キリスト教を知るには聖書から

退屈な所は飛ばし飛ばし読んでいくと、意外や意外、面白い話がどんどん出てくる

なぜ日本人はキリスト教オンチなのか

「キリスト教についての知識があったら、ヨーロッパの旅はさらに興味深いものになるだろうに」、という嘆きの声をよく耳にする。キリスト教的な霊感に満ちた絵画や彫刻、荘厳《そうごん》な大聖堂やステンドグラスなどを前にすると、その感はいっそう深くなるのではなかろうか。ところが日本には、信者でない者にもよく分かるように書かれたキリスト教の本は極めて少ない。

もちろん、例えば『聖書——これをいかに読むか』（赤司《あかし》道雄著・中公新書）、『聖書——その歴史的事実』（新井 智《さとし》著・NHKブックス）といったような好著もあるが、それとても聖書についての知識、あるいは原初キリスト教の信仰についての知識を与え

てくれるだけだ。その後の長い歴史の中で大きく変容したキリスト教のことについては、何も触れていない。テーマが聖書なのだから、それで当然なのかも知れない。後は修道院、建築工芸、聖遺物崇拝、宗教改革など、個別的なテーマを取り上げた本があるだけだ。

信者の立場からキリスト教全般について書かれたものはたくさんある。しかしこれは「信者でない者」が読むと、まるで砂を嚙《か》んでいるようで、とても読み通す気にはなれないのがふつうだろう。

では、旅先で見聞するものについての理解を深めるという目的のために、キリスト教全般についての基本的な知識を得るには、どうすればよいのか。私なりにその答を出してみたいという「大それた思い」から書き始めたのが、実はこの本なのである。

ダマされたと思って読んでみては

キリスト教はヨーロッパの精神文化の基盤だといわれている。確かにその通りなのだろうが、あまり大上段に構えると、かえってオックウになって何もしないということになりかねない。まずは気楽にいける所から手をつけてみてはどうだろう。

その意味で私がおすすめしたいのは、聖書のサワリの部分、特に物語としても面白い部分から、ちょいと試しに読んでみることだ。聖書というと、食わず嫌いで、読んでみようともしない人が多いのだが、ほんとうはなかなか面白い部分もある（も、である）。

キリシタンの時代から日本語に

既に秀吉の頃から、キリスト教の教義書の類《たぐい》は日本語に訳されてきた。現存している最古のものは、一五九一年（天正一九年）に出た加津佐版の『どちりいな・きりしたん』である。その後聖書そのものの訳もいろいろと出たが、最も重要で、大きな影響をおよぼすに至ったのは、日本聖書協会版の次の三つである。

その一は文語訳で、明治時代にできた（新約の部分だけは大正時代に改訂された）。戦後に（旧）口語訳が出るまでは、聖書といえばこの文語訳のことだった。たいていの人がよく知っている聖書の言葉、例えば「人の生くるはパンのみによるにあらず」といったような文句は、すべてこの文語訳によっている。

その二は（旧）口語訳で、一九五五年に完成した。以来プロテスタントはずっとこの（旧）口語訳を使ってきた。

その三は新共同訳で、一九八七年に出た。それまでカトリックとプロテスタントは別々の訳を使っていたのが、これによって初めて統一が成ったので、新共同訳という。

この本でも聖書を引用するときには、この新共同訳によることにする。

荘重な文語訳からやさしい新共同訳まで

三つの訳をちょっと比べてみよう。新約聖書の最初のところである。

文語訳では「アブラハム、イサクを生み、イサク、ヤコブを生み……」となっている。

しかしアブラハム、イサク、ヤコブなどはみな男であるから、男が子を「生む」のはおかしいというわけで、(旧)口語訳では「アブラハムはイサクの父であり、イサクはヤコブの父……」となった。

しかしこれも持って回ったような表現で、調子がよくない。新共同訳では「アブラハムはイサクをもうけ、イサクはヤコブを、……もうけた」となり、初めて、ごく自然な日本語になった。

本文に「小見出し」が付くようになったのも新共同訳の大きな特長の一つ。これで聖書はぐっと読みやすくなり、内容を理解しやすくなった。ほかにも新共同訳の特長はたくさんあるが、まずはこのへんで先へ進むことにしよう。

旧約聖書と新約聖書の関係

いうまでもなく聖書はキリスト教の根本聖典であり、旧約と新約から成っている。旧約とは、イエス・キリストが出現する前に神と人間との間で交わされた「古い約束、古い契約」という意味。新約とは、イエス・キリストを仲立ちとして神と人間との間で結ばれた「新しい約束、新しい契約」という意味である。

旧約聖書は、もともとはユダヤ人の聖典である。ユダヤ人はイエスを神の子とは認めず、新約聖書も認めない。したがってユダヤ人にとっては、聖書といえばそれは旧約聖書のこと。

キリスト教はユダヤ教の枠の中で生まれ、やがて独自の発展を遂げて別個の宗教になったものだから、両者で聖典がダブっているのは当然のことなのだ。ただし現在では、ユダヤ教の聖書とキリスト教の旧約聖書とでは編成や内容にかなりの違いがある。

旧約聖書とはどんな本か

昼寝の枕《まくら》代わりにちょうどよい分厚さ アタックするならサワリの部分から

日本では軽視されている旧約聖書

旧約聖書は創世記からマラキ書に至るまでの三九の「書」で構成されている。新共同訳ではこれにさらに続編として一三の「書」が付け加えられた。それぞれの「書」は一個の独立した本だといってもよい。

一九八七年版の新共同訳を見ると、全体のページ数は、正編だけでも一七三五ページ、続編を合わせると二一七三ページもある。細かい字で二段組みになっているので、普通の組み方に直せば優に三〇〇〇ページを超えるだろう。

日本では、熱心なキリスト教信者でも旧約聖書を最初から最後まで読み通したという人は少ない。一つには、日本では聖書といえばもっぱら新約聖書のことで、旧約聖書は軽視されているからであり、二つには、旧約聖書はあまりにも分量が多く、しかも途中に退屈極まる箇所がたくさんあるからだ。信仰という立場からは、旧約聖書のうちヨブ記、詩編、イザヤ書などが日本ではわりによく取り上げられている。

サワリの部分だけを読むのなら

ヨーロッパでは昔から絵画、彫刻、ステンドグラスなどのテーマとして、旧約聖書に出てくる物語が非常に多く取り上げられている。旧約聖書のサワリの部分だけでも頭に入れておかないことには、説明を聞いても何が何だか分からない。

そういう観点から旧約聖書を読んでみようというのであれば、まず最初の創世記と、次の出《しゅつ》エジプト記の前半（二四章まで）を読んでみることをおすすめしたい。分量は合わせて一五六ページ。

右の部分は物語性に富んでいるので、わりに楽しく読める。有名な天地創造に始まり、アダムとイブの創造、エデンの園、ヘビの誘惑、楽園追放、大洪水とノアの箱舟、バベルの塔、ヨセフと兄弟たちの物語、エジプト脱出、モーセがシナイ山で十戒を授けられるくだりなどが次々に出てくる。

歴史、思想、文学としても興味津々《しんしん》
旧約聖書を歴史として読んでみようというのであれば、サウル、ダビデ、ソロモンなどが登場するサムエル記上・下、列王記上・下などが、最も迫力があって面白い。旧約聖書の中で異彩を放っているのは、コヘレトの言葉と雅歌である。前者はこれまで「伝道の書」と呼ばれてきたもの。最初のところは次のようだ。

なんという空《むな》しさ
なんという空しさ、すべては空しい。
太陽の下、人は労苦するが
すべての労苦も何になろう。（中略）
何もかも、もの憂《う》い。
語り尽くすこともできず
目は見飽きることなく
耳は聞いても満たされない。
かつてあったことは、これからもあり
かつて起こったことは、これからも起こる。
太陽の下、新しいものは何ひとつない。（中略）

わたしの心は知恵と知識を深く見極めたが、
熱心に求めて知ったことは、結局、
知恵も知識も狂気であり愚かであるにすぎないということだ。
これも風を追うようなことだと悟った。
知恵が深まれば悩みも深まり
知識が増せば痛みも増す。
わたしはこうつぶやいた。
「快楽を追ってみよう、愉悦に浸ってみよう」
見よ、それすらも空しかった。（後略）

文語訳では最初の所が「空の空、空の空なるかな、すべて空なり……」となっていたので、仏教でいう一切是空の思想が思い起こされたものだった。

自然の美しさや生の喜びを称《たた》えた詩も

雅歌には多くの美しい恋愛詩が集められている。その一つをご紹介しよう。

恋しい人の声が聞こえます。
山を越え、丘を跳んでやって来ます。

恋しい人はかもしかのよう
若い雄鹿《おじか》のようです。
ごらんなさい、もう家の外に立って
窓からうかがい
格子《こうし》の外からのぞいています。
恋しい人は言います。
「恋人よ、美しいひとよ
　さあ、立って出ておいで。
ごらん、冬は去り、雨の季節は終った。
花は地に咲きいで、小鳥の歌うときが来た
この里にも山鳩《やまばと》の声が聞こえる。
いちじくの実は熟し、ぶどうの花は香る。
　恋人よ、美しいひとよ
　さあ、立って出ておいで」（中略）
恋しいあの人はわたしのもの
わたしはあの人のもの

ゆりの中で群れを飼っている人のもの。
（群れとは羊のこと）

ユダヤ人が伝えてきた伝承の集大成

このように見てくると、旧約聖書が意外に多彩な面を持っていることが分かる。抹香臭い本と決めつけて、食わず嫌いで終わるには惜しい本である。

旧約聖書はユダヤ人が伝えてきた神話、伝説、歴史、宗教的な儀式の決まり、信仰箇条、戒律、宗教文学などの集大成だ。その最古の源泉は、ユダヤ人よりさらに古いシュメール人の伝承にまで遡《さかのぼ》ることが、今では実証されている。シュメール人が残したギルガメッシュ叙事詩の中に、大洪水とノアの箱舟の話などの原形が見つかったからだ。この発見のきっかけになった粘土板は、大英博物館の五六号室に展示されている。

このように先進の他民族から借りてきた話までも含めて、ユダヤ人のさまざまの部族の間で語り継がれてきた伝承をまとめ、前後約千年かけて徐々に一冊の本にしたものが旧約聖書だ。

次に、昔からよく取り上げられてきた旧約聖書の名場面を少し見てみよう。

旧約聖書の名場面　その1

天地創造、アダムとイブ、ヘビの誘惑と楽園追放、大洪水とノアの箱舟、バベルの塔

荘重だが迫力に乏しいP文書

旧約聖書の名場面といえば、まず第一に創世記の冒頭に出てくる天地創造の物語だ。ところが創世記をよく読むと、同じ天地創造というテーマで、内容の違う話が二度出てくることに気がつく。

最初の話は第一章から第二章四節までで、非常に荘重ではあるが具体性に欠け、あまり迫力がない。聖書学者の研究によれば、この部分は旧約の冒頭におかれているけれども、成立の年代はわりに新しく、前五〇〇年頃だという。学者は旧約のいろいろな部分の文体や使用語句などを詳細に調べた結果、ここはP文書に属すると判定したのである。

P文書とは前五〇〇年頃に祭司たちが書いたもの。Pは祭司 Priest の頭文字である。旧約聖書は約千年の間に何回も書き加えられたり、書き改められたり、編集し直されたりしたものだから、その資料の一部になったP文書はこの創世記の冒頭の部分ばかりではなく、旧約聖書のいろいろな部分に織り込まれている。

時代も筆者も違う資料をないまぜて

ところで、その次を読むと、同じ天地創造の物語が今度はガラリと調子が変わって、まるでビデオでも見ているように写実的な生き生きとした調子で展開される。荘重さには欠けるが、素朴で親しみが持てる。

学者はこちらの方が時代的に古く、前九〇〇年頃に成立したJ文書に属するとしている。J文書はユダ王国で作られたもので、神を Jahawe ヤハウエと呼んでいるため、その頭文字をとってJ文書と名づけられた。

日本の古事記などもそうだが、旧約聖書は複数の資料をないまぜて作られたものだから、同じことについて内容の違う複数の記述がダブッて出てくることがよくあるのだ。

写実的で人間味のあるJ文書

天地創造についていえば、昔から画家たちがテーマにしてきたのは、主に素朴で写実的な二章（J文書）の方だ。

例えば男女を創造するくだりにしても、一章（P文書）の方は「神は御自分にかたどって人を創造された。神にかたどって創造された。男と女に創造された」と、素っ気がない。

それに対し二章（J文書）では、神が土をこねて人（男）の形を造り、「その鼻に命の息を吹き入れ」て、土の塊を「生きる者」にするありさまが具体的に述べられている。古今東西を問わず、息は生命のしるしと考えられてきた。「息をふきかえす」「息が絶える」などというではないか。古事記にも息を吹き込んで新しい神様を生み出すくだりがある。

女の創造についてては描写がさらに詳しい。「神は言われた。『人が独りでいるのは良くない。彼に合う助ける者を造ろう。』……神はそこで、人を深い眠りに落とされた。人が眠り込むと、あばら骨の一部を抜き取り、その跡を肉でふさがれた。そして、人から抜き取ったあばら骨で女を造り上げ……彼女を人のところへ連れて来られ」た。

これを読むと、神様がニコニコして造りたての女の手を引き、驚き喜んでいる男に引き合わせるありさまが目に見えるようではないか。P文書の素っ気なさとは何と大きな違いであろうか。

ちなみにヨーロッパでは「男」を意味する言葉は同時に「人」一般をも意味する。英語やドイツ語のマン、フランス語のオム、イタリア語のウォーモなどみなそうだ。

ミケランジェロの「アダムの創造」。
システィナ礼拝堂天井画

システィナ礼拝堂の雄渾《ゆうこん》な旧約物語

有名なシスティナ礼拝堂の天井には、ミケランジェロの筆になる雄渾な旧約物語のフレスコ画がある。中央に並んでいる九つの長方形の区画のうち、「最後の審判」の壁画がある側から数えて四番目が「アダムの創造」、五番目が「イブの創造」だ。

「アダムの創造」では、命の息を吹き込まれた筋骨たくましい青年に対し、壮年の姿で表わされた神が手をさしのべ、祝福を与えようとしている。このように神を全身像で描くようになったのはルネッサンス時代以後のことで、それまでは全身像で描くのは恐れ多いとして、ただ右手の先だけを描いて神の祝福の象徴とするのが習慣だった。

「イブの創造」では、イブは生命を与えられて神に向かって立ち上がろうとしているのに、アダムはまだ深々と眠りこけている。前記のように聖書には「神は、人を深い眠りに落とされ……あばら骨の一部を抜き取り……」とある。現代流にいえば、全身麻酔をかけてからあばら骨の一部を摘出したのだ。そしてアダムはまだ麻酔から醒《さ》めず、眠りこけているという次第。こんなところにも、J文書の持つリアルな味がよく表現されている。

イブはなぜ禁断の木の実を食べたのか

エデンの園とヘビの誘惑のくだりは、聖書の原文ではほぼ次のようになっている。

「主なる神はエデンに園を設け……食べるに良いものをもたらすあらゆる木を地に生えいでさせ、また園の中央には、命の木と善悪の知識の木を生えいでさせられた。……人を連れて来て、エデンの園に住まわせ、人がそこを耕し、守るようにされ、……人に命じて言われた。

『園のすべての木から取って食べなさい。ただし、善悪の知識の木からは、決して食べてはならない。食べると必ず死んでしまう』（中略）

主なる神が造られた野の生き物のうちで、最も賢いのは蛇であった。蛇は女に言った。

『園のどの木からも食べてはいけない、などと神は言われたのか』

女は蛇に答えた。

『わたしたちは園の木の果実を食べてもよいのです。でも、園の中央に生えている木の果実だけは、食べてはいけない、触れてもいけない、死んではいけないから、と神様はおっしゃいました』

蛇は女に言った。

『決して死ぬことはない。それを食べると、目が開け、神のように善悪を知る者となることを神はご存じなのだ』

女が見ると、その木はいかにもおいしそうで、目を引き付け、賢くなるように唆《そそのか》していた。女は実を取って食べ、一緒にいた男にも渡したので、彼も食べた。二人の目は開け、自分たちが裸であることを知り、二人はいちじくの葉をつづり合わせ、腰を覆《おお》うものとした」

ロマネスクの彫刻「蛇にそそのかされて禁断の木の実を取ろうとするイブ」。オータンのロラン博物館

男はなぜ死ぬまで働かねばならないか

続いて楽園追放のくだりがある。

「その日、風の吹くころ、主なる神が園の中を歩く音が聞こえてきた。アダムと女が、主なる神の顔を避けて、木の間に隠れると、主なる神はアダムを呼ばれた。

『どこにいるのか』

彼は答えた。

『あなたの足音が園の中に聞こえたので、恐ろしくなり、隠れております。わたしは裸ですから』

神は言われた。

『お前が裸であることを誰が告げたのか。取って食べるなと命じた木から食べたのか』(中略)

神は女に向かって言われた。

『お前のはらみの苦しみを大きなものにする。お前は、苦しんで子を産む。お前は男を求め、彼はお前を支配する』

神はアダムに向かって言われた。

『お前は、生涯食べ物を得ようと苦しむ。お前は顔に汗を流してパンを得る。土に返るときまで。お前がそこから取られた土に。塵《ちり》にすぎないお前は塵に返る』

主なる神は言われた。

『人は我々の一人のように、善悪を知る者となった。今は、手を伸ばして命の木からも取って食べ、永遠に生きる者となるおそれがある』

主なる神は、彼をエデンの園から追い出し……」

（後略）

マザッチョの「楽園追放」。
ブランカッチ礼拝堂

ヘビの誘惑から楽園追放に続くあたりは、まるで一編のメルヘンを読んでいるようではないか。

「人は我々の一人のように

……」というところで、我々とは神々という意味。遠い昔のユダヤ人は厳密な意味での一神教徒ではなく、複数の神々の存在を認めていたことが、こんなところにもチラリと表われている。

考古学的にも立証された〝大洪水〟

システィナ礼拝堂の天井画では、「最後の審判」の壁画がある側から数えて六番目の区画が「蛇の誘惑と楽園追放」、一つおいて八番目の区画が「大洪水とノアの箱舟」だ。大洪水に襲われている人々も描かれているが、双眼鏡で見ないとよく分からない。

この物語は創世記の六、七、八章に出てくる。地上に邪悪な者がはびこったので、神は大洪水を起こし、すべてを滅ぼし尽くそうと決心する。ただ、心の正しいノアにだけは三層造りの巨大な箱舟を造るように命じ、ノアとその妻、ノアの子供たちとその妻たち、あらゆる種類の動物の雌雄ひとつがいを乗せるように命じる。

この物語の原形はシュメールに起源を持つギルガメッシュ叙事詩にあることは既に述べたが、古代メソポタミアの都市がしばしば大洪水に襲われたことは、発掘の結果分かっている。テルまたはテペと呼ばれて、低い丘のようになっている都市遺跡を掘り下げていくと、厚い粘土層に突き当たり、さらにその下に住居跡が見つかることが多い。この厚い粘土層は集落が大洪水で水没し、しかも水がなかなか退《ひ》かなかったことを表わしている。
実際にあった恐ろしい大洪水の思い出がギルガメッシュ叙事詩に取り入れられ、旧約聖書にまで伝わったのであった。

神様をあわてさせたバベルの塔

次に出てくる有名な話で、観光ともかかわりあいが深いのは「バベルの塔」だ。創世記一一章にあり、J文書に属する。

イラクのサマッラにある
ラセン形のミナレット

あるとき人間が増上慢を起こし、「天まで届く塔のある町を建て」始めた。神様はこれは捨ておけぬと、人間の群れが違うとお互いに言葉が通じないようにしてしまったので、大きな塔の各所に散っていた人間たちの間で意思の疎通《そつう》ができなくなり、工事はおじゃん。以来、人間は民族が違うと、言葉は通じないし、争いばかりしているようになった、というお話。

バビロン（バベル）に実在していたバカ高いジグラットが、この話のもとになったと考えられている。

ジグラットとはシュメール時代の昔からメソポタミアの各地にあった高い塔で、方形の壇を積み重ねたような形をしており、神が天上から降りてくる所とされていた。今でもメソポタミアの各地に遺構が残っている。

中でも並み外れて大きかったのがバビロンのジグラットであった。学者は、古代の粘土板の記述や、現存している基底部の遺構から、高さは約九〇メートルだったと推定している。ほぼ二二階建てのビルに相当する高さだ。

ユーフラテス河畔の平地にあって、粘土を干し固めて造った低い家ばかりが並んでいたバビロンでは、このジグラットは異様に高く、まるで天に届きそうな感じを与えたに違いない。

新バビロニア王国の時代に、捕囚としてバビロンに連れて行かれたユダヤ人たちは、そこに神に対する人間の不遜《ふそん》を見たのであろうか。

絵画ではなぜラセン形の塔になったか

大ブリューゲルの「バベルの塔」。ウィーン芸術史博物館

ヨーロッパ各地の博物館にはラセン形をした「バベルの塔」の絵がよくある。このモデルになったのは、イラクのサマッラに現存しているラセン形のミナレットだろうといわれている。こちらはわりに新しく、九世紀アッバース朝の時代に築かれたもの。材料は粘土を干し固めただけの日干しレンガで、階段そのほか破損しやすい所にだけは火で焼き固めたレンガを使ってある。

一二世紀頃からイラクを訪れるようになったヨーロッパ人が、この珍しい形をした土造りの塔が天に向かってそびえているのを見て、これこそ旧約聖書に出てくるバベルの塔ではなかろうかと思い、旅の土産話にしたのが、ことの起こりではないかというわけである。塔の高さは五二メートルであるが、あたりは見渡す限りの大平原で、近くには遺跡と化したモスクの壁しか残っていないため、非常に高く感じる。塔のまわりに設けられている斜路を歩いて、いちばん上まで登ることができるが、斜路には手すりがなく、しかも外側に向かって傾斜しているので、登るほどに高所恐怖感にとらわれて、足がすくむ思いがする。中世の昔にこの塔に登ったヨーロッパ人も、やはり強烈な印象を受けたに違いない。

ヨーロッパではいろいろな画家がラセン形をした「バベルの塔」の絵を描いているが、ウィーンの芸術史博物館にある大ブリューゲルの作品はことに名高い。

旧約聖書の名場面　その2

アブラハムとイサク、ヨセフと兄弟たち、モーセとエジプト脱出、十戒の物語

アブラハムに始まる族長時代

同じく創世記でも、一一章の「バベルの塔」まではお伽話《とぎばなし》めいているが、そのあとは歴史的事実を踏まえているらしい話になる。まず一二章からはユダヤ人の先祖とされるアブラハム、イサク、ヤコブ、ヨセフなどの物語で、学者はこれを族長物語と呼んでいる。

その頃ユダヤ人の先祖はまだ遊牧の段階にあり、いくつもの部族に分かれ、それぞれの部族は族長に率いられていた。例えばヤコブにはヨセフを含めて一二人の息子があったとされ、彼らの言行がいろいろと聖書に記されている。しかしこれは実際には「一二の個人」のことではなく、「一二の部族」のことが伝説化されたのだと考えられ

ている。

また、アブラハムは一七五歳まで生きたと記されているが、これも何代にもわたって、複数の族長たちの時代に起こったことが、アブラハム一人の事績として伝説化された結果だろうというわけである。したがって、アブラハムという特定の個人が歴史的に実在したと考えることはむずかしい。

アブラハムはわが子を犠牲にしようと

あるとき神は、アブラハムの信仰を試すためにいった。「あなたの愛するひとり子イサクを燔祭《はんさい》として捧《ささ》げなさい」と。燔祭とは羊などを殺し、祭壇で焼いて神に捧げる儀式だ。

アブラハムはイサクに薪を背負わせ、刃物を持って神から指定された場所へ急ぐ。何も知らぬイサクがたずねた。「お父さん、犠牲にする小羊はどこにあるの」アブラハムは「神様が用意して下さる」と答える。

現場に着くと、アブラハムは祭壇を築き、薪を並べ、イサクを縛ってその上に乗せた。彼がまさにわが子を刃《やいば》にかけようとしたとき、天から声があった。「あなたは、あなたの愛するひとり子をさえ惜しまないので、神を恐れる者であることがよく分かった」と。アブラハムが目を上げて見ると、後ろに、角をヤブに掛けている一頭の雄羊がいた。彼はその雄羊をわが子の代わりに燔祭として捧げた。創世記二二章に出てくる記述を要約すると以上のようになる。

この物語は、「神は人類を救うため、ひとり子イエスを犠牲にされた」という新約聖書のテーマとイメージが重なるため、昔から非常に多くのキリスト教美術の題材にされてきた。

物語の背後にひそむ史実と伝承

この物語は、E文書に属している。北のイスラエル王国では神をエロヒーム Elohim と呼んでいた。そこで、旧約聖書の原資料のうち北のイスラエル王国に起源を持つものを、現代の学者がE文書と名づけたのだ。

イスラエル王国の隣りのフェニキアには、実際に長男を燔祭として神に捧げる習慣があった。その風習がイスラエル王国にも伝わって流行したので、それをやめさせるため「アブラハムとイサクと雄羊」の物語が創作された、と学者は考えている。

大英博物館の五四号室に、シュメールの「ウルの王墓」から発掘された「角をヤブに掛けている山羊《やぎ》」の像がある（実際にはテーブルの脚の役目を果たしていたらしい)。この像の背景には何か物語があって、それが右の旧約聖書の物語に一つのヒントを与えたのではないか、という説もある。

数奇な運命にさらされるヨセフ

ヨセフの物語は創世記の三七章から最後の五〇章までを占め、創世記の中では最も長く、しかもまとまりがよくて、波瀾万丈《はらんばんじよう》の面白さに満ちている。

ヨセフはヤコブの一一番目の子で、既に年老いていた父から特別可愛《かわい》がられた。それで腹違いの兄たちにヤキモチを焼かれ、荒野の中の深い穴に投げ込まれ、果ては旅の商人に奴隷《どれい》として売り飛ばされてしまった。

旅の商人はヨセフをエジプトへ連れて行き、ファラオの侍従長ポティファルに売り渡した。この先、旧約聖書にはファラオ、すなわちエジプト王がたびたび登場する。ヨセフは家内奴隷として買い取られたわけだが、主人の信任を得て、一切をまかされるようになる。

「ヨセフは顔も美しく、体つきも優れていた。……主人の妻はヨセフに目を注ぎながら言った。『わたしの床《とこ》に入りなさい』(中略)

彼女は毎日ヨセフに言い寄ったが、ヨセフは耳を貸さず、彼女の傍らに寝ることも、共にいることもしなかった」

ある日、彼女はヨセフの着物をつかみ、強引にベッドにひきずり込もうとする。ヨセフは、着物を彼女の手に残して外へ逃れ出た。可愛さ余って憎さが百倍。彼女は大声をあげてほかの召使たちを呼び、ヨセフがわたしにケシカランことをしようとしたといいたてた。

ポティファルは妻のいうことを真に受けて激怒し、ヨセフを捕えて、王の囚人をつなぐ監獄に入れた。

ファラオに信頼され食糧備蓄政策を実行

たまたま投獄されたファラオの給仕長および料理長とヨセフは獄中で知り合いになり、彼らの夢解きをする。そしてヨセフが予言した通り、給仕長は嫌疑が晴れてもとの職に戻され、料理長は木に掛けられ、ハゲタカに肉を食い取られた。

二年後、ファラオは不思議な夢を見たが、どうしてもその謎《なぞ》が解けなかった。給仕長はまだ獄に入れられていたヨセフのことを思い出し、ファラオに推薦する。ファラオはヨセフを召し出して夢解きをさせたところ、非常に説得力のある答が出た。七年の大豊作の後に七年の大飢饉《だいききん》がやってくるという神のお告げだというのだ。ファラオは感心し、ヨセフを「エジプト全国のつかさ」に任じて、大々的に食糧備蓄をやらせた。

この伝説の背景には、史実があるといわれている。この王は第一八王朝のアメンホテプ四世だったと考えるわけである。有名なツタンカーメンの先代であり、慈愛の太陽神アトンを奉じる一神教を創始したが、結局は失敗に終わったことで知られている。この王にヤンハムというセム系の名を持つ大臣がいて、食糧備蓄政策などを行なった。当時、シリアは半ばエジプトの支配下にあったから、セム系の役人がいてもおかしくはない。

ヨセフの運命は神の思し召《おぼしめ》しだった

大飢饉は広範囲な異常気象のせいだったようで、ヤコブと一一人の息子たち、つまり一一の部族たちがいたカナンの地でも牧草が育たず、家畜は全滅に瀕《ひん》した。彼らはエジプトに移動してきて、食糧を乞《こ》うた。ヨセフは奇遇に驚いたが、そぶりには見せず、同腹の末弟ベニヤミンもきたのを見届けてから、惜しみなく食糧を分けてやった。そして人払いをし、自分がヨセフであることを告げる。

兄たちは仰天し、自分たちの悪事を思い起こして、今やこの国の権力者であるヨセフからどんな仕返しを受けることかと恐れる。しかしヨセフはいう。「わたしは辛酸をなめましたが、すべては神の思し召しです。あなた方をこうして迎えられるように、わたしをエジプトにおつかわしになったのです」

これが聖書記者の強調したかったことなのである。

紙数の関係からごく簡単にしてしまったけれども、原文はもっと複雑でドラマチックな構成になっている。

実在した人物モーセと〝出《しゅつ》エジプト〟

ヨセフとその兄弟たちの子孫、つまりユダヤ人の先祖は、この頃はイスラエル人と呼ばれていた。飢饉が終わったあと、彼らの一部はカナンに帰り、一部はエジプトの東北部に住みついた。このようにエジプトに居残ったイスラエル人の偉大な指導者として、モーセが登場する。

日本ではモーゼというふうに濁って発音することが多いのだが、この本では聖書にしたがってモーセということにしよう。

ファラオがイスラエル人を激しい労役に駆りたてたので、モーセはイスラエル人を率いて国外脱出を果たす。これが旧約聖書で創世記の次に位置している出エジプト記

アブ・シンベル大神殿とラムセス２世の巨像

の中心テーマだ。学者はこのファラオを第一九王朝のラムセス二世に比定している。アブ・シンベル大神殿をはじめ、いくつもの壮大な建造物や巨像を造ったので、今日の観光とも縁の深いファラオである。

　イスラエル人の国外脱出は、彼らにとっては民族の命運をかけた大事件であったが、エジプトにとっては「野蛮人が良民多数を殺して逃げた」という程度の低次元の事件だったらしく、何の記録も残っていない。

映画『十戒』にも描かれた〝過越《すぎこし》〟

　以上の話をもう少し詳しくいうと、次のようになる。

　モーセはたびたびファラオに謁見《えっけん》を求め、イスラエル人を酷使することを止《や》めるか、それとも国外退去を認めるか、どちらかにしていただきたいと頼むが、ファラオは聞き入れようとしない。神様も加勢して、いろいろの罰をエジプト人に下し（害虫、疫《えき》病《びょう》、異常気象などの災害をもたらし）、反省をうながしたのだが、それでもファラオは頑として応じない。

ついに、神様はエジプト人に鉄槌《てっつい》を下す決心をする。イスラエル人に命じ、一家に一頭の小羊を殺して、その血を戸口に塗り、小羊は焼いてその夜のうちに食べ尽くし、旅装を整えて朝を待つようにさせる。そして、戸口に塗られた小羊の血を目印にして、イスラエル人の家は「過ぎ越し」、つまりパスし、神の手がエジプト人の家だけを襲って、次々にエジプト人を皆殺しにしていく。

映画『十戒』では、神の罰を表わす妖怪《ようかい》のような黒雲が天から垂れ下がり、小羊の血でマークされているイスラエル人の家は「過ぎ越し」て、エジプト人を撃っていくありさまが描かれていた。

今もなおイスラエル人の大祭である過越の祭りは、これが起源だと信じられている。しかし過越の祭りの本当の起源は牧畜に関連した春祭りで、あとから出エジプトの故事と結びつけられたのだろうというのが、大方の学者の意見である。

ミケランジェロの「モーセ」。ローマのサン・ピエトロ・イン・ヴィンコリ教会

戦車隊が紅海で溺《おぼ》れたという話の真相

学者はまた、出エジプト記の背景にいささかなりとも史実があるとすれば、それは次のようなことだったろうと考えている。

イスラエル人は周到な計画のもとに、夜のうちに用意を整え、一家に一頭の小羊を食べ尽くして腹ごしらえをし、夜明け前にまわりのエジプト人を皆殺しにして出発した。通信、交通の未発達だった時代のこと、こうしておけば通報が遅れ、討手がかかるまでに日数を稼げる。ついでに、皆殺しにしたエジプト人の食糧や家畜なども奪って逃げたのだろう。

しかし、遅ればせながらも「イスラエル人が良民多数を殺して逃亡した」という通報が届き、駿足《しゅんそく》の戦車隊が追ってきた。戦車とは二、三頭の馬に引かせる軽快な二輪車で、御者、射手を乗せ、当時のオリエントでは戦闘の花形だった。しかし戦車隊にも泣き所があった。大きな岩がゴロゴロしているような荒地では威力を発揮できないし、湿地や軟らかい砂地では車輪がめり込んで動けなくなってしまう。

それがモーセの目のつけどころだった。エジプトの戦車隊が迫ってきたとき、イスラエル人はもう「海」のほとりの湿地まで逃げてきていた。この海は紅海ではなく、「葦《あし》の海」と呼ばれていた湖（現在はスエズ運河が通っているティムサ湖）だろうというのが、学者の一致した意見だ。エジプトの戦車隊は湿地にはまり込んで動きが取れなくなり、追跡をあきらめたらしい。エジプト軍がみな海に溺れてしまったというのは、イスラエル人が後から付けた尾ヒレだろうというわけ。

聖書には「ファラオは戦車に馬をつなぎ、自ら軍勢を率い……」とあるが、ラムセス二世が自ら出馬したのかどうかは極めて疑わしい。そしてイスラエル人が不毛のシナイ半島に逃げ込んだと聞いて、もはや追討軍を差し向けることもしなかったらしい。

シナイ山の十戒と一神教の確立

モーセは、若いときからたびたびアジア側にきていたことが、聖書にこと細かに記されている。大集団を率いて逃走する前から、彼はアジア側の地理に精通していたに違いない。

　聖書には、イスラエル人の数は六〇万だったと書いてあるが、実際にはせいぜい数千人だったろうといわれている。それでも大人数を連れてのシナイ半島での遊牧生活は苦闘の連続であった。この間にモーセは、シナイ山で神から十戒を得た。

　エジプトに長くいた間に、偶像崇拝などの悪習に染まっていた者も多く、モーセとしてはこの際、イスラエル人の精神生活に一本の太い筋金を通す必要に迫られていたのだ。イスラエル人が、人類の歴史の中でも極めて珍しい一神教の信仰を本当に固めたのはこの時期で、それには前記エジプトの一神教「アトンの信仰」も、何らかのヒントを与えたのではないかといわれている。

旧約聖書の名場面　その3

サムソンとデリラ、音楽にも戦いにも女にも強かったダビデ、ソロモンとシバの女王

一二部族が分立していた士師時代

モーセの後継者ヨシュアの時代になって、やっとイスラエル人は神から約束された地、乳と蜜《みつ》のしたたる国、パレスチナの一角に、領土を確保することができた。パレスチナには手強《てごわ》い先住民がいて防備を固めていたから、イスラエルの一二部族はあるいは連合して、あるいは単独で、先住民と戦い、部族ごとにそれぞれ領土を広げていった。

この頃から、サウルによって統一王国が形成されるまで（前一三世紀～前一一世紀末）を士師時代という。士師とは各部族の指導者である。士師は神意を受けて部族内のもめごとに裁きをつけたり、部民を率いて敵と戦ったりした。旧約聖書には、ヨシ

ユア記に続いて士師記があり、多くの士師の物語が出ている。

怪力サムソンと不実の美女デリラ

士師記の大部分は史実を踏まえているが、サムソン物語のような伝説もある。サムソンは怪力無双で、イスラエル人の強敵ペリシテ人を散々にやっつける。ペリシテ人はサムソンの愛人デリラを買収し、寝物語に怪力の秘密が髪の毛にあることを聞き出させる。デリラの膝枕《ひざまくら》で眠っているうちにサムソンは髪の毛を剃《そ》り落とされ、怪力を失う。そしてペリシテ人に捕えられ、両眼をえぐられ、鎖につながれて石臼《いしうす》を挽《ひ》かされる。しかし、その間にまた髪の毛が少しずつ伸びてきて、怪力がよみがえった。

祭りの見世物として引っ張り出されたとき、ペリシテ人の主だった者や数千の群衆がいる大神殿で、彼は二本の巨柱を両手でグイと引き寄せる。大神殿は地響きをたてて倒壊。サムソンもペリシテ人もろともに死んでしまったというお話。

サウル、イスラエル初代の王になる

パレスチナとは、「ペリシテ人の地」という意味だ。

ペリシテ人は、パレスチナの海岸平野を本拠にし、鋭利な鉄製の武器と、機動力に富む戦車隊を持っていた。イスラエル人はまだ青銅の武器に頼っているありさまで、おまけに部族ごとにバラバラであり、とうていペリシテ人には勝てなかった。

たびたび惨敗《ざんぱい》を喫した結果、イスラエル人は全部族が団結して一人の強力な王をいただく必要性を痛感する。その頃サムエルという宗教家がいて、多数部族の信望を集めていた。彼らはサムエルに、「イスラエル人の王を立ててくれ」と頼む。サムエルは、「王というものはいずれは圧制者になる。お前たちに重税と労役を課し、お前たちの子を戦場に駆りたてるようになるだろう」と警告しながらも、サウルという武人を王位につかせた。

サウルに続いて、ダビデ、そしてソロモンが王になり、古代イスラエルの黄金時代が実現した。このくだりは旧約聖書のサムエル記上・下、列王記上・下、歴代誌上・下に出てくるが、旧約聖書は複数の資料を後世になってから編集したものであるため、少しずつ違って重複している話や、創作、改作されたと思われる話も多い。

ベツレヘム出身、エッサイの子ダビデ

ダビデはサウルの子ではない。ベツレヘムに住んでいたエッサイの末子で、羊飼い

だった。

話はちょっと脇《わき》へ外れるが、ゴシック式の大聖堂のステンドグラスには、よく「エッサイの樹《き》」という場面があり、高い窓の全面を使って、樹の形をした一つの系図が表わされている。これはエッサイの子がダビデで、その子孫がイエス・キリストであるという新約聖書の物語を図形化したもの。

本論に戻って、サムエル記上一六章にダビデ仕官の場面がある。強敵ペリシテ人との戦いに頭を悩ましていたサウル王がノイローゼにかかり（聖書では「悪霊《あくりょう》にさいなまれ」とある）、心を晴らすために琴の名手を求めたとき、青年ダビデが召し出された。

サウル王はたいへんダビデが気に入り、王の武器持ちにした。

ダビデは作詩、作曲、竪琴《たてごと》の名人

ダビデが生涯を通じて傑出したシンガーソングライターだったことは、さまざまの資料から明らかである。

旧約聖書の詩編に収められている一五〇編の美しい詩の大部分は、「ダビデの歌」と記されている。学者は、そのうちの多くは後世の他人の作だとしているが、それでも「ダビデの歌」だということになっているのは、いかに彼の名声が高かったかを表わしている。

サムエル記下一章にある「弓の歌」は、サウルとその子ヨナタンの戦死を悼《いた》んだダビデの詩で、彼の真作であることは間違いないといわれている。ヨナタンは彼の親友だった。親友の戦死を悲しむダビデの思いが、読む者の胸を打つ。

ロマネスク式やゴシック式の聖堂に竪琴を手にしている聖者の像があったら、それはダビデだと思って間違いない。

必殺の〝石投げ〟でゴリアトを倒す

サムエル記上一七章にまた別の形でダビデの初登場の話が出てくる。

一六章の「琴の名手として召し出された」という話はいわゆる古史料に属し、事実を伝えていると思われるのに対し、この一七章の話はいわゆる新史料に属し、別人の武勇伝をダビデにすり変えたのだ、と学者は考えている。

ペリシテ勢がまた攻め寄せてきて、谷を隔ててサウルの軍勢とにらみ合いになった。ペリシテ側からゴリアトという剛勇無双の大男が進み出て、「一騎討ちで勝負をつけよう。負けた方は全軍いさぎよくかぶとを脱ぐのだ」と、大音声《だいおんじょう》に呼ばわる。サウ

ミケランジェロの「ダビデ」。
フィレンツェのアカデミア美術館

ル側は、みな怖《お》じ気《け》をふるって、誰一人進み出ようとしない。戦いに加わっている兄たちに食糧を届けにきたダビデがそれを見て、「わたしが出ます」という。

サウルは青年の勇気に感心し、自分の甲冑《かっちゅう》を脱いでダビデに着せてやる。

が、甲冑をつけたことがないダビデは身動きができない。「ダビデはそれらを脱ぎ去り、自分の杖《つえ》を手に取ると、川岸から滑らかな石を五つ選び、身に着けていた羊飼いの投石袋《とうせきぶくろ》に入れ、石投げ紐《ひも》を手にして……向かって行った」

ゴリアトは妙な若僧がヒョロヒョロと出てきたので、せせら笑う。が、ダビデは必殺の石投げの名手だった。ゴリアトは石で眉間《みけん》を割られてブッ倒れる。ダビデは跳びかかってゴリアトの剣を引き抜き、それでゴリアトの首をはねた。

意外な結果に、ペリシテ勢は動揺する。勇気百倍したサウル勢は捨て身の突撃に移り、ペリシテ勢は総崩れになった。

ダビデの像はなぜ素っ裸なのか

フィレンツェには、ダビデの有名な像が二つある。一つはドナテルロ作の銅像で、初々《ういうい》しい少年の姿。ゴリアトの大剣を手にしている。

もう一つはミケランジェロ作の石像で、凛々《りり》しい青年という感じ。強敵と対決しようというのにフリチンなのは、聖書に「それらを脱ぎ去り」と書いてあるから。肩に掛けている布のような物は石投げ紐だ。片側だけが袋になっている布に石を入れてブンブン振り回し、エイヤッと投げつける武器である。布製や木製の石投げ器は、古代世界では方々で使われていた。

カナンの羊飼いたちの中には、羊の群を狙《ねら》う狼《おおかみ》を撃退するため、石投げの技を磨く者がいたことが知られている。ダビデもその一人だったのだろう。だから彼はまっすぐ飛びそうな川石を選んだのだ。

このように、記述が具体的であるところから、主人公をダビデとするのはすり変えであったかも知れないが、サウル側に、石投げの達人がいたことは事実らしい。必殺の飛び道具、ブンブン振り回す石投げでいこうというからには、甲冑は脱ぎ捨てねばならぬ道理だ。

ダビデ、サウルに追われて各地を転々

歴史的事実とされているところは次のようだ。サウル王に仕えたダビデは、やがて一隊の指揮を任されるようになり、天才的な軍略家ぶりを発揮し始める。強敵に対し次々に輝かしい勝利を収め、名声が日ましに高くなった。

最初サウルは非常に喜び、自分の娘をダビデと結婚させた。そのうちにダビデの名声があまりにも高くなったのをねたみ、彼を亡《な》き者にしようとする。何回も殺されそうになったので、ダビデは出奔し、手だれの部下を率いて野武士のような働きをする。そしてサウルの軍勢に追われ、各地を転々とした末、宿敵だったペリシテ人のアキシ王のもとに身を寄せた。

そこでも彼は、一軍の将として用いられ、無敵ぶりを発揮したが、ペリシテ人から裏切りを警戒されたため、イスラエル人と戦場でぶつかることはなかった。

この間に、彼はペリシテ人の優れた武器と戦法について十分に知識を蓄えた。

ユダヤ人の歴史で唯一《ゆいいつ》の大王国を築く

前一〇〇四年にサウルとその子らはペリシテ人に敗れて戦死し、ユダ部族を中心とする南部のイスラエル人はダビデを王に迎えた。戦国のこと、戦上手なリーダーが何よりも求められていたのだ。その後、残る北部のイスラエル人もダビデを王と認めるに至り、イスラエル人の歴史で初めての強力な統一王国が形成された。

ダビデ王はペリシテ人を撃破して完全に支配下におさめてしまい、周辺の諸地方も征服して、北はダマスカス周辺から南はアラビア砂漠の縁辺に及ぶ大領土を実現した。

これがユダヤ人の歴史で後にも先にもただ一つの統一王国だ。それから今日に至るまで常に、ダビデ王はユダヤ民族の栄光のシンボルとされてきた。

ダビデ、ヌード姿の人妻を見染める

サムエル記などに含まれている古資料には、ダビデの言行について良いことも悪いことも赤裸々に書いてある。

「ある日の夕暮れに、ダビデは午睡から起きて、王宮の屋上を散歩していた。彼は屋上から、一人の女が水を浴びているのを目に留めた。女は大層美しかった。ダビデは人をやって女のことを尋ねさせ」、いま前線で敵と戦っているヨアブの家臣ウリヤの妻バト・シェバであることが分かった。

「ダビデは使いの者をやって彼女を召し入れ、……床を共にした。……女は家に帰ったが、子を宿したので、ダビデに使いを送り、『子を宿しました』と知らせた」

このあたり「 」内はすべて聖書の新共同訳のままである（サムエル記下一一章）。

哀れ、夫は無理矢理に戦死させられる

さあ困った。ダビデは用事にかこつけてウリヤを前線から呼び戻し、ヨアブはどうしているか。戦いはうまくいっているか、などと、もっともらしいことを聞いてから、今夜は久しぶりに家へ帰ってゆっくりしろ、といった。が、ウリヤは王宮の衛兵詰所で皆と一緒に眠り、家へは帰らなかった。それを聞いたダビデは、またウリヤに家に帰るように促すが、ウリヤは答える。「わたしの主人ヨアブも主君の家臣たちも野営していますのに、わたしだけが家に帰って飲み食いしたり、妻と床を共にしたりできるでしょうか」

ダビデはますます困って、また別の手を考える。

「ダビデはウリヤを招き、食事を共にして酔わせたが、夕暮れになるとウリヤは退出し、主君の家臣たちと共に眠り、家には帰らなかった」

焦《あせ》ったダビデは非情極まる手段を取る。

「翌朝、ダビデはヨアブにあてて書状をしたため、ウリヤに託した。書状には『ウリヤを激しい戦いの最前線に出し、彼を残して退却し、戦死させせよ』と書かれていた」

バト・シェバは「夫ウリヤが死んだと聞くと、夫のために嘆いた。喪が明けると、ダビデは人をやって彼女を王宮に引き取り、妻にした」

その後ダビデはナタンという義人にいさめられ、「わたしは主なる神に罪を犯しました」といって悔い改め、主もまたダビデをお許しになった。聖書記者が強調したかったのはこの点である。

愛憎の果ては血で血を洗うお家騒動に

このとき既にダビデには六人の息子がいた。長男から五男まではそれぞれ別の女性に生ませた子であり、六男は正妻エグラの子であった。そこへバト・シェバが加わり、七男から一〇男までを生んだ。ほかに娘が合わせて九人いた。さらに「そばめ」たちに生ませた子もたくさんいたことが、歴代誌上三章に出ている。

こうなったらお家騒動が起こるのは当たりまえで、そのことはサムエル記下や列王記上に詳しく記されている。

「ダビデ王は多くの日を重ねて老人になり、衣を何枚着せられても暖まらなかった。

そこで家臣たちは、王に言った。『わが主君、王のために若い処女を探して、御そばにはべらせ、お世話をさせましょう。ふところに抱いてお休みになれば、暖かくなります』彼らは美しい娘を求めてイスラエル領内をくまなく探し、シュネム生まれのアビシャグという娘を見つけ、王のもとに連れて来た。この上なく美しいこの娘は王の世話をし、王に仕えたが、王は彼女を知ることがなかった」

さきには三男のアブサロムがダビデ王に背いて兵を挙げ、一時はダビデ王を窮地におとしいれたのだが、結局は敗れて死んだ。今度は四男のアドニヤが、ダビデ王の死も間近いと見て、支持者を集め、「わたしが王になる」と宣言する。

バト・シェバはどんなことがあってもわが子ソロモンを王にしようと考えていたので、美しい娘アビシャグの世話を受けてメロメロになっていたダビデ王に迫り、ソロモンを後継者として指名させた。王の家臣のそのまた家臣の妻だったバト・シェバは、行水姿を王に見染められたのをバネにして、ついに最高権力の座におどり上がった。

このあとソロモンは血の粛清を行ない、反対者を次々に殺して権力を確立する。アブサロム挙兵のきっかけからここに至るまでの物語は、並みの小説など足下にも寄れないほど面白い。聖書の新共同訳の文章もまた、極めて平易でしかも生き生きとしている（サムエル記下一三章から列王記上二章まで）。

ソロモンの知恵、シバの女王の来訪

ソロモンがエルサレムに壮麗な神殿や王宮を造営したこと、大規模な戦車隊を設けたことは、後世の記録や考古学的発掘によって明らかになっている。

しかし、人並み外れた知恵者だったとか、シバの女王が来訪したという話は、どうやら些細《ささい》な事実が誇張されて伝えられたらしい。シバの国は現在のイエメンにあって、農業開発と交易で富み栄えていたことは確かだが、ソロモンと同じ時代にそれらしき女王がいたという史料はまったくないそうである。アラビアの北辺にあった小国の女王が来訪したというのが真相ではなかろうかと、学者は考えている。

ソロモンの死後、イスラエル人の王国は南北に分裂して衰えた。

旧約聖書を宗教という観点から見るのであれば、このあとのヨブ記、詩編、イザヤ書、エレミヤ書などが最も重要なのであるが、その道の権威による解説書がいくつも出ていることであり、ここでは触れない。

新約聖書とはどんな本か

造形美術に文学に数限りない題材を提供
胸打たれる思いのする人間愛の物語も

四つの部分に分けて考えてみよう

新約聖書は、日本聖書協会の新共同訳（一九八七年版）では五五七ページである。旧約聖書と違ってそれほど分厚い本ではない。長短あわせて二七の「書」から成っているが、次のように四つに分類してみると理解しやすい。

第一は、福音書と呼ばれる部分。マタイ伝、マルコ伝、ルカ伝、ヨハネ伝という四つの福音書で構成されているが、内容はいずれもイエスの生涯と言行を述べたもので、イエスが神の子、人類の救い主キリストであることを論証しようとしている。

第二は、使徒言行録。文語訳や（旧）口語訳では使徒行伝《しとぎょうでん》と呼ばれていた。イエスの弟子たち、特にペトロやパウロの宣教活動を述べている。

第三は、使徒たちが各地の教会や信者たちに送った手紙の集成である。

第四は、ヨハネの黙示録《もくしろく》。迫害が激しかった時代に、為政者の追及を避けるため、信者以外には分からないような謎《なぞ》めいた表現を駆使して書かれた一種の宗教文学である。

興味深く読める福音書と使徒言行録

ヨーロッパ文化に対する理解を深めるために新約聖書を読んでみたいという人には、まず四福音書と使徒言行録を読むことをおすすめしたい。新約聖書全体の半分ちょっとである。福音書も使徒言行録も物語性が豊かであるため、キリスト教の信仰には無縁の人でも、興味深く読むことができる。

それに対し、後半の使徒たちの手紙集と黙示録は、信者か、またはキリスト教について研究してみようという人でない限り、ちょっと取っつきにくいだろう。

少なくとも四福音書は読んでみるべきで、昔から多くの有名な美術作品や文学作品のテーマになってきた場面が、次から次へと展開する。

マタイ伝という呼び方は、文語訳で「マタイ伝福音書」となっていたのを省略したもの。(旧)口語訳でも新共同訳でも「マタイによる福音書」となっているが、それでは長過ぎて不便なせいもあって、マタイ伝あるいはマタイ福音書という略称が広く使われている。マルコ伝、ルカ伝、ヨハネ伝についても同じこと。

最も初期に書かれた素朴なマルコ伝

四つの福音書は、いずれもイエス・キリストの生涯を述べたものだから、内容はある程度まで似通っている。特にマタイ伝、マルコ伝、ルカ伝は共通点が多いので共観福音書という。ヨハネ伝だけはちょっと異色で、ギリシア哲学的な要素が強い。

聖書の編成ではマタイ伝が最初になっているけれども、時代的にはマルコ伝の方が古く、紀元五〇年頃に成立したと考えられている。

マルコ伝の特徴は、お伽話《とぎばなし》的な要素が少ないことで、イエスの誕生にまつわる物語などは一切なく、イエスが三〇歳頃になって教えを説く生活に入るところから書き始めている。文章も極めて平明だ。潤色された部分が少なく、初期の教会の人たちがイエスについてどのように考えていたかを、最も忠実に伝えているとされている。

ユダヤ人を対象に書かれたマタイ伝

マタイ伝とルカ伝は紀元七〇年頃に成立した。どちらもマルコ伝を史料にし、さらにそれぞれ独自の資料と見解を加味してある。マタイ伝はユダヤ人を対象にし、イエスがキリスト（救世主）であることを、ユダヤ人に説得しようとして書かれたもの。新約聖書の冒頭、マタイ伝一章の初めに長々と出てくるイエスの系図が、何よりそのことを雄弁に物語っている。アブラハムから一四代目の子孫がダビデ、ダビデから一四代目の子孫がウンヌンということで、人名が延々と続く。最後にマリアの夫ヨセフ、そしてマリアからキリスト（救世主）であるイエスが生まれた、とある。

ユダヤ人は、救世主はダビデの子孫から生まれると信じていたから、どうしても最初にこういう系図を持ってくる必要があったのだ。この系図は、もちろん事実ではない。

新約聖書を読もうとする日本人は、たいていこの人名の羅列にヘキエキし、最初のページの半分も読まないうちに放り投げてしまう。ちょっと辛抱すれば、すぐに面白い場面が出てくるのだが。

日本人好みの格調高い名文マタイ伝

ユダヤ人に狙《ねら》いを定めていることのほか、マタイ伝の特徴としては、文章が極めて格調高いことがあげられる。キリスト教徒でない日本人は、昔から聖書を一種の格言集として受けとる傾向が強いが、そのためにはマタイ伝が最も向いている。

昔から親しまれてきた文語訳で例を二、三あげてみよう。

「すべて色情をいだきて女を見る者は、既に心のうち姦淫《かんいん》したるなり」

「目には目を、歯には歯を、と言えることあるを汝ら聞けり。されど我は汝らに告ぐ。人もし汝の右の頬を打たば、左をも向けよ。汝を訴えて下着を取らんとする者には、上衣《うわぎ》をも取らせよ」

「汝ら見られんためにおのが義を人の前にて行わぬように心せよ。さらば施しをなすとき、偽善者が人にあがめられんとて会堂や街にてなすごとく、おのが前にラッパを鳴らすな。汝は施しをなすとき、右の手のなすことを左の手に知らすな」

「何を食らい、何を飲まんと生命のことを思い煩《わずら》うな。汝らのうち誰か思い煩いて身のたけ一尺を加え得んや。またなにゆえ衣のことを思い煩うや。野の百合《ゆり》はいかにして育つかを思え。労せず、紡《つむ》がざるなり。されど栄華を極めたるソロモンだに、その服装《よそおい》この花の一つにもしかざりき」

「狭き門より入れ。滅びに至る門は大きく、その路《みち》は広く、これより入る者多し。生命に至る門は狭く、その路は細く、これを見出《みいだ》すもの少なし」

この「狭き門」という言葉は、アンドレ・ジードの小説の題名になり、さらに日本では周知のような意味になった。

なお聖書学者によると、聖書の一部をこのように断片的にとらえて読むのは、大きな誤解のもとだそうだ。

国際派の教養人士が書いたルカ伝

ルカ伝を書いたルカは、医師であった。そのためヨーロッパでは、聖ルカは医師の守護聖人とされている。東京の築地《つきじ》にある聖路加《ろか》病院の名も、これに由来する。

ルカはユダヤ人ではなく、ヘレニズム世界に育った教養人士で、パウロの友人として小アジアやギリシアにキリスト教を広める手助けをした。ルカ伝が明るく人間的な物語性に満ちているのは、ルカのヘレニズム的な教養を示しているといわれている。

学者の研究によれば、ルカは原史料にあまり手を加えず、なるべくもとの形のまま記録に残そうという主義だったため、ルカ伝は非常に史料的な価値が大きいという。

ギリシア哲学の論法によるヨハネ伝

ヨハネ伝は最も遅く、一世紀末か二世紀初め頃に成立したと考えられている。イエスが神の子であり、人類の救い主キリストであるという論を、ギリシア哲学風に構築したもの。

有名な出だしのところにその性格がよく表われている。

「初めに言葉（ロゴス）あり、言葉は神と共にあり、言葉は神なりき。この言葉は初めに神と共に在り、よろずの物これに由《よ》りて成り……これに生命あり、この生命は人の光なりき」

「もろもろの人を照らすまことの光ありて、世にきたれり。……世は彼に由りて成りたるに、世は彼を知らざりき」

万物生成の原理から説き起こすという、ギリシア哲学の論法が使われているのが分かる。一章の後半からはもっと平易な文章になるが。

後から書き加えられた受胎告知の話

次に、世に名高いイエス誕生物語を材料に、福音書の内容発展のいきさつについてもう少し考えてみよう。まずは、天使が現われて、マリアが処女にして神の子をみごもることを告げる受胎告知の話からである。

受胎告知やイエス誕生の話は、最も早く成立したマルコ伝にはなく、後から成立したマタイ伝とルカ伝に登場する。そこで、この話は後から創作されたか、あるいは、信者の間で誰いうとなく広まっていた話をもとにして、マタイ伝やルカ伝の記者が書き加えたものと考えられる。

そしてマタイ伝とルカ伝とでは、受胎告知の様子がだいぶ違う。

マタイ伝では天使がヨセフの夢枕《ゆめまくら》に

マタイ伝では次のようになっている。

「マリアはヨセフと婚約していたが、二人が一緒になる前に……身ごもっていることが明らかになった。ヨセフは……マリアのことを表ざたにするのを望まず、ひそかに縁を切ろうと決心した。このように考えていると、主の天使が夢に現れて言った。『恐れず妻マリアを迎え入れなさい。マリアの胎《たい》の子は聖霊によって宿ったのである』……」

新約聖書はイエスが神の子、キリストであることを論証しようとして書かれたものであり、事実をそのまま記録しようとしたものではない。しかし、仮にこれが事実だったとすると、ヨセフとしては心中はなはだ穏やかならぬ思いだったろう。彼は田舎町ナザレの大工だったのだから、相手のマリアもごく普通の庶民の娘だったに違いない。

この情景は「ヨセフの夢」と題され、ロマネスク時代の彫刻などにちょいちょい現われる。

ここで一つ矛盾していることがある。「アブラハムはイサクをもうけ、イサクはヤコブをもうけ……」という表現で、最初に長々と系図を述べ、ダビデやソロモンを経て「……ヤコブはマリアの夫ヨセフをもうけた」というところまできたのに、次はヨセフはイエスの父ではないことになっている。これでは、救世主イエス・キリストはダビデの子孫であるという論証にならないのではないか。

ルカ伝では天使が直接マリアに告げる

ルカ伝に出てくる受胎告知の話は、ルカ伝の性質をよく反映していて、さらに劇的、人間的である。

「天使はマリアのところに来て言った。『おめでとう、恵まれた方。主があなたと共におられる』マリアはこの言葉に戸惑い、いったいこの挨拶《あいさつ》は何のことかと考え込んだ。すると、天使は言った。『マリア、恐れることはない。あなたは神から恵みをいただいた。あなたは身ごもって男の子を産む……』

マリアは天使に言った。『どうして、そのようなことがありえましょうか。わたし

レオナルド・ダヴィンチの「受胎告知」。天使は白百合を手にしている。ウフィッツィ美術館

は男の人を知りませんのに』天使は答えた。『聖霊があなたに降《くだ》り、いと高き方の力があなたを包む』……」

これが狭義の受胎告知であって、絵の題材としては、マタイ伝による「ヨセフの夢」よりも、もっぱらこのルカ伝による「受胎告知」が使われてきた。これは、マリア信仰が盛んになったこととも関係がある。

画家たちが美化して広げたイメージ

ウフィッツィ美術館にあるシモーネ・マルティーニの「受胎告知」は、彼の最高傑作の一つ。同じくレオナルド・ダヴィンチの「受胎告知」も彼の若き日の代表作だ。このほかにも受胎告知のテーマは数々の名画を生んだ。

清純そのもののような乙女が、神のお告げ

と聞いて恐れおののき、いい知れぬ感激にひたる劇的な情景が、芸術作品としての「受胎告知」の核心である。天使は絵では女のように見えるけれども、もちろん男で、清純のシンボルである白百合、オリーブそのほかの花を手にしている。ひざまずいて求愛する男の形である。

ルカ伝に出てくる簡単な物語のイメージを次第にふくらませて、画家たちはいつしかこのような定型を作り上げたのであった。マリアの家はごく質素な田舎家だったはずなのに、豪壮な大邸宅のように描かれ、マリアの服装もまるで王侯貴族の娘のように描かれている。

それに反し、イタリアで作られた『マタイによる福音書（邦題　奇跡の丘）』という映画では、「もし聖書に書いてあることが事実であったとすれば、実情はこのようであったに違いない」という考えのもとに、時代考証に基づき、すべてをリアルに描写し、見る者に深い感銘を与えた。その映画では、マリアが根っからの田舎娘という姿で、あばら家の庭先に座っている所へ、ボロを身にまとい、髪はボサボサ、足はハダシという青年が現われて、マリアの前に突っ立ったまま、ニコリともせず受胎告知をする。

全体としてたいへん説得力のある映画であった。

ユダヤ人など、キリスト教に敵意を抱く者たちの間では、既に古代からもう一つの噂《うわさ》がまことしやかに伝えられていた。イエスの父はローマ軍の兵士だという説である。マリアがローマ兵に暴行されてみごもったのを、ヨセフが義俠心《ぎきょうしん》から事情承知の上で妻にしたというのである。

新約聖書に見る伝説と真実

福音書記者たちが素朴に信じていた伝説や奇跡物語の背後に描き出されている事実は

ルカ伝に出てくるクリスマスの物語

四福音書のうち、いちばん初めにできたマルコ伝にはイエスの誕生のことは何も書いてないし、マタイ伝には「ヘロデ王の時代にユダヤのベツレヘムでお生まれになった」と書いてあるだけだ。

よく知られているクリスマスの物語、イエスが馬小屋で生まれ、飼葉おけの中に寝かされたとか、羊飼いたちの話などはルカ伝に出てくる。ここにもルカ伝の性格が表われている。

イエスの生年は不明というのが定説

イエスはいつ生まれたか。もちろん、西暦紀元元年の一二月二五日に生まれたと、多くの人は思っている。ところがイエスの誕生日は本当は不明であって、一二月二五日を誕生日として祝う習慣はずっと後世になってから生まれた（クリスマスの項＝二四一ページ参照）。

誕生の月日どころか、誕生した年さえはっきりとは分かっていない。昔は王侯貴顕の子でない限り、出生についてはまったく記録がないのが普通で、大工の息子として生まれたイエスについても例外ではない。現代の学者たちの間では、イエスは紀元前四年か、あるいはそれ以前に生まれたという点で意見が一致している。確実な史料により、ヘロデ王は前四年に死んだことが明らかであるからだ。

宗教がすべてを律していた中世の昔ならともかく、今となっては、イエスの生まれた年がピタリ紀元元年でなくてはならぬ理由はどこにもない。要するに、世界共通のモノサシとしての、西暦であればよいのである。

東ローマのユスティニアヌス大帝の頃に出たディオニシウスという神学者が、『復活祭の書』という本の中で、イエスはローマ建国紀元七五四年に生まれたとして、その年を紀元元年とするように主張したのが、今日の西暦の始まりだ。

イエスの生年については各地でさまざまの異説があったが、九世紀頃には彼の説が

ロマネスクの柱頭「飼葉おけに寝かされているイエス（上）と、飼葉おけで産湯を使ってもらっているイエス（下）」。アルルの大聖堂

広くキリスト教界全体で認められるに至った。実証的な歴史学が発達していなかった時代のこととて、彼の説は実は間違いだったのである。

ああ無残、ヘロデ王の〝幼児虐殺《ぎゃくさつ》〟

イエスが生まれた頃、このあたり全体は既にローマ帝国の支配下にあったが、極めて特殊な宗教的民族であるユダヤ人を統治することのむずかしさを考えて、ローマはヘロデ王というカイライ政権を立てて、ユダヤを間接的に支配していた。

マタイ伝によれば、イエスが「ベツレヘムでお生まれになった。そのとき、占星術の学者たちが東の方からエルサレムに来て、言った。『ユダヤ人の王としてお生まれになった方は、どこにおられますか。わたしたちは東方でその方の星を見たので、拝みに来たのです』これを聞いて、ヘロデ王は不安を抱いた。(中略) そして、人を送り、ベツレヘムとその周辺一帯にいた二歳以下の男の子を、一人残らず殺させた」

ヘロデ王は残虐な性格で、王位を奪われることを恐れて、前王家の一族からついには実の息子に至るまで殺しまくったことが、史実として知られている。ヘロデ王がベツレヘム地方の幼児を根こそぎ殺したということは、歴史的事実とは認められないけれども、マタイ伝の読者には「さもありなん」と思われたに違いない。

剣をふりかざして襲いかかる兵士たち、「子供を殺さないで」と哀願する母親、突き刺されてのけぞる赤ちゃん、悲嘆にくれる人々、と劇的な要素が揃《そろ》っているため、この「幼児虐殺」のシーンも昔からよく絵の題材にされた。

〝聖母子とヨセフのエジプト行〟

ところがイエスは無事だった。その前に天使がヨセフの夢枕《ゆめまくら》に立ち、「幼な子とその母を連れてエジプトに逃げなさい」と告げたからだ。

これが、「聖母子とヨセフのエジプト行」で、幼子イエスを抱いたマリアがロバに乗り、ヨセフが手綱を引いて、異境を旅して行く牧歌的な情景は、ロマネスク時代か

ロマネスクの木彫「聖母子とヨセフのエジプト行」。ソーリューの大聖堂

ら多くの作品にインスピレーションを与えた。

なお「東方から来た占星術の学者たち」については、エピファニーの項（二四二ページ）も参照されたい。

新約聖書の記述はどこまで事実なのか

ルカ伝にはイエスの幼少年時代の話が少し出ているが、これは後から生まれた伝説だろうといわれている。

四福音書が一致して述べているのは、イエスがヨルダン川で洗礼者ヨハネから洗礼を受けるところから、十字架につけられて死ぬところまでである。この間の記述の大筋は、歴史的事実として間違いないと認められている。

今日の科学ではありえないと思われるような、奇跡物語が各所に織り込まれているのは、初期の信者たちが事態をどのように解釈していたかということの表われであり、それはそれで歴史的な資料として貴重であるというのが、聖書学者たちの考え方だ。十字架の死に続いては、イエスが三日目によみがえり、弟子たちの前に現われたという話が、四福音書でそれぞれ少しずつディテールを異にして述べられている。

イエスが世に出た頃のユダヤの情勢

前四年にヘロデ王が死ぬと、ローマ皇帝アウグストゥスは、ヘロデ王の三人の子に王国を分割統治させた。エルサレムを含む中央部はアルケラオに割り当てられたが、失政が続いたため、紀元六年にアウグストゥスはアルケラオを追放して直接統治下においた。イエスの故郷であるガリラヤは辺境であるため、ローマはヘロデ王の子、ヘロデ・アンテパスにずっと領主をつとめさせ、間接統治をしていた。

このように直接か間接かの違いはあっても、ユダヤ人はすべてローマの重圧下におかれていた。そして、重税を搾《しぼ》り取られて生活が苦しいこと、ユダヤ人が何より大切と考えていた「神とユダヤ人との約束ごと」が、ローマの支配下にあるがゆえにしばしば踏みにじられることに、ユダヤ人は激しい憤《いきどお》りを感じ、反ローマの気運がみなぎっていた。

熱心党（ゼロータイ）と呼ばれた地下組織があって、ローマ人に対し暗殺や反乱などの直接行動を起こし、民衆の秘《ひそ》かな支持を得ていた。しかし、ユダヤ人の指導者層はローマの実力をよく知っていたから、このような動きには反対で、ローマとの妥協をはかり、自分たちの地位を守ることに汲々《きゅうきゅう》としていた。

イエスが世に出たのは、このような時代背景のもとであった。

草の根から立ち上がった偉大な宗教家

「そのころ、洗礼者ヨハネが現れて、ユダヤの荒れ野で宣《の》べ伝え、『悔い改めよ。天の国は近づいた』と言った。

ヨハネは、らくだの毛衣《けごろも》を着、腰に革の帯を締め、いなごと野蜜《のみつ》を食べ物としていた。そこで、エルサレムとユダヤ全土から、また、ヨルダン川沿いの地方一帯から、人々がヨハネのもとに来て、罪を告白し、ヨルダン川で彼から洗礼（バプテスマ）を受けた」（マタイ伝三章）

これは「世の終わりは近く、その時には神の最後の審判が下されるであろう」という終末思想の現われだ。

父の業を継いで大工をしていたイエスは、その頃三〇歳ぐらいになっていたが、ヨハネの教えを伝え聞いて発奮したのか、ヨハネのもとへ行って洗礼を受ける（造形美術に現われるシンボルの項＝二一七ページ参照）。

福音書はイエスを神の子、救い主キリストとする立場から、ここのところを潤色しているけれども、ヨハネが先生、イエスが弟子という格だったことは間違いない。なおヨハネはエッセネ派という教団の出だったろうと推測されている。

ヨルダン川でヨハネから洗礼を受けるイエス。頭上に聖霊のシンボルである鳩と神の手が見える。オシオス・ルカス修道院のモザイク

民族の危機に遭遇するたびに、民衆の間から熱烈な宗教家が現われ、神の怒りを説き、人々に悔い改めをすすめるのは、旧約以来のユダヤ人のお家芸みたいなものだから、ここでヨハネ、ついでイエスが「草の根」から立ち上がったのは少しも奇異なことではない。そして、イエスを神の子キリストとする信仰の立場からは異論があるだろうが、イエスをあくまでも一人の人間として見るとき、人類

史上でも不世出の偉大な宗教家であったことを、やがて歴史が証明することになる。

貧しい人たちに神の愛を説いたイエス

当時、ユダヤ人の指導者階級はサドカイ派とファリサイ派の人々だった。

サドカイ派は祭司階級で、エルサレムの神殿を管理し、ローマの支配下にあっても自治組織として認められていた議会の議員多数を占め、彼らのボスである大祭司は事実上ユダヤ人全体の代表のような地位にあった。当然彼らは現状維持派、親ローマ派であった。

ファリサイ派は、権力の座にはついていなかったが、ユダヤ人の宗教生活の指導者をもって任じていた。律法（日常生活の全般についてこと細かに定められている宗教的な規則）をきちんと守っていることを誇りにし、それができない者は「神から見放された者」として軽蔑《けいべつ》していた。しかし貧乏な人たちにとっては、律法を文字通り守ることは不可能だったのである。

イエスは、サドカイ派、ファリサイ派や律法学者たちの偽善を徹底的に攻撃し、彼らが無上のものとしている形式主義は真の信仰とは無縁であり、救いへの道を閉ざすものだと、言葉激しく非難した。そして一切の形式を排し、ただひたすらに神の愛を信じることだけが救いへの道であると説いて、貧しい人たちに大いなる安らぎを与えた。

美少女に手渡されたヨハネの生首

イエスは、ガリラヤの全土をめぐり歩いて教えを説き、多くの支持者を得た。そこへ起こったのが洗礼者ヨハネが斬首《ざんしゅ》された事件である。

ガリラヤの領主ヘロデ・アンテパスは、自分の兄弟ピリポの妻だったヘロデアと結婚したことでヨハネに激しく非難されたので、ヨハネを捕えて獄に入れた。しかし民衆の人気を恐れ、ヨハネを殺さないでいた。ところがヘロデは、自分の誕生祝いの席でヘロデアの連れ子サロメが見事な踊りを見せたのを喜び、何でも欲しいものをやろうと約束する。母の意を受けて、サロメが望んだものはヨハネの生首であった。ヨハネは獄中で斬首され、「その首は盆に載せて運ばれ、少女に渡り、少女はそれを母親に持って行った」（マタイ伝一四章）

ギュスターヴ・モローの妖艶《ようえん》な絵や、ワイルドの戯曲などで名高い場面だ。

政治的な背景を重視する学者は、こう考えている。ヘロデは、そんなことでヨハネを殺したのではない。ヨハネをもりたてて熱心党が反乱を起こしそうな気配だったので、未然に芽を摘んだのだ。そして、ファリサイ派らの訴えを受け、イエスもヨハネと同類の危険人物とみなし、イエスの生命を狙《ねら》うようになったのだ、と。

身を犠牲にして世の人々を救おうと

イエスは、ヨハネが斬首されたことを聞くと、ガリラヤ湖の「舟に乗ってそこを去り、ひとり人里離れた所に退かれた。しかし、群衆はそのことを聞き、方々の町から歩いて後を追った。イエスは舟から上がり、大勢の群衆を見て深く憐《あわ》れみ、その中の病人をいやされた」（マタイ伝一四章）

その後夕方になって、何千人という群衆と共に草の上に座り、わずかのパンと魚を分け合って食べる感動的な話が続く。

イエスと弟子たちは、ずっと北方のフィリポ・カイサリア地方へ逃れたが、そこも安住の地ではなかった。その頃、イエスは一つの重大な決心をする。それまでは地元のガリラヤで布教していたのだが、殺される結果になることを承知の上で、中央のエルサレムに乗り込み、そこで堂々と自分の信念を述べて、世の多くの人々の心に救いを与えようという決心である。

イエスの一行は人目を避けるようにヨルダン川に沿って南下し、エルサレムに向かう。弟子たちは師の真意をはかりかねた。筆頭弟子のペトロは、無謀な計画を止《や》めるように諫言《かんげん》し、かえってイエスに叱責《しっせき》される。「ガリラヤのイエス」の名声は既にエルサレムでも知れ渡っていたから、イエスに期待をかけた民衆は歓呼してイエスのエルサレム入城を迎えた（復活祭を中心とする移動祭日の項＝一五一ページ参照）。

激烈を極めるに至ったイエスの言動

死を覚悟していたイエスのエルサレムでの活動は、気迫に満ちたものだった。祭司たちが管理していた「神殿の境内に入り、そこで売り買いをしていた人々を皆追い出し、両替人の台や鳩《はと》を売る者の腰掛けを倒された」そして神殿は祈りの家と呼ばれるべきであるのに、「あなたたちはそれを強盗の巣にしている」（マタイ伝二一章）と決めつけた。

祭司たちが激怒したのは当然である。

イエスは精力的に自分の考えを人々に説き、サドカイ派、ファリサイ派や律法学者たちの偽善ぶりを暴《あば》いて、完膚なきまでにやっつけた。

「一日も早くこの男を亡《な》き者にしなければ、自分たちの立場がなくなる」と、エルサレムの指導者層は痛感する。

民衆は失望し、弟子の心にも迷いが

民衆の心にも幻滅が忍び寄っていた。イエスの説く「神の国」が純粋に信仰の問題であり、ユダヤ人が熱望していた「地上の理想国」の実現ではないことがはっきりしたからだ。イエスの説く「神の国」については、弟子たちでさえ誤解していた。エルサレムへの途上で「神の国では自分たちはどんな地位につけてもらえるのか」と、質問したくらいだった。

エルサレム入城後は、弟子たちの戸惑いはさらに大きくなった。グループの会計係だったイスカリオテのユダの心に、師を見限ろうという思いが生まれる。弟子たちのほとんどはイエスと同郷のガリラヤ出身であったが、ユダはその名が示すようにイスカリオテ（カリオテ出身）のシモンの子であった。そうして弟子たちのなかではいちばん教育があって、読み書きができたため、会計を任されていたのである。それだけにいっそう、エルサレムで目のあたりにした祭司たちの堂々たる生活ぶりに比べて、その日その日の飢えをしのぐだけで精いっぱいという自分たちのありさまに、絶望的な気分になったのであろう。

十字架の死とキリスト教

いったんは死んだイエスが、三日目によみがえったとする信仰からキリスト教が生まれた

祭司長らは強引にイエスの抹殺を急ぐ

イエスがエルサレムに乗り込んだのは、ユダヤ人が一年のうちで最も大切にしていた過越《すぎこし》の祭りの直前だ。全土からたくさんのユダヤ人がエルサレムに集まってくるこの時期を、イエスは特に選んだのだといわれている。

大祭司を中心とする指導者たちは、是が非でも祭りの前にイエスを殺そうと謀《はか》り、イエスもそれを見抜いていた。イエスがエルサレムに入ったのは日曜日。人々に教えを説くことができたのはたった五日間だった。

祭司長らは木曜日の夜にイエスを捕え、ローマの総督ピラトに迫って、金曜日には早々と十字架につけて処刑させてしまった。翌日の土曜日は安息日で過越の祭りであ

レオナルド・ダヴィンチの「最後の晩餐」。
ミラノのサンタ・マリア・デッレ・グラツィエ教会

るから、処刑できない。遅らすとどんな邪魔が入るか分からないので、祭司長らはしゃにむにことを急いだ。今はイエスから離れている民心も、この先どう転ぶか、予断はできなかった。

支配者であるローマ側も、過越の祭りの前後は特に神経をピリピリさせていた。例年この時期になるとユダヤ人の民族意識が高ぶり、反ローマの騒動がよく持ち上がっていたからだ。

イエスと十二使徒の〝最後の晩餐《ばんさん》〟

ユダヤでは毎週木曜日の夜に、師弟が会食をする習慣があった。死期が目前に迫ったことを自覚していたイエスにとって、先に述べた「この木曜日」

の夜の会食は特別の意味を持っていたが、弟子たちはまだ事態がそこまで切迫しているとは感じておらず、のんびり構えていた。

これが「最後の晩餐」だ。イエスは弟子たちの誰かが自分を裏切ろうとしているといって、弟子たちをびっくりさせる（造形美術に現われるシンボルの項＝二〇九ページ参照）。死を見つめていたイエスの感覚はカミソリのようにとぎすまされ、弟子たちの心の動きをすべて見透かしていたのだろうといわれている。

オリーブの老樹が茂るゲツセマネの園

このときに、イエスが弟子たちに「わたしの体である」といってパンを与え、「わたしの血である」といってブドウ酒の杯を与えたのが、聖餐式（聖体拝領ともいう）の始まりだ。

イエスが血涙を搾《しぼ》ったゲツセマネの園

晩餐の後、師弟は町の城壁の外に出て、ゲツセマネの園へ行った。祭司長らの手下に襲われることを警戒してか、エルサレムにきて以来いつも、イエス師弟は夜になると町の外へ出ていたのだ。ゲツセマネの園はエルサレムの城壁の東、オリブ山の麓《ふもと》に今でも残っており、オリーブの老樹が茂っている。

ゲツセマネの園で、イエスが悲しみに打ちひしがれて神に祈るくだりは、信者ならずとも涙なくしては読めない。新約聖書で最も感動を誘われる場面だ。しかし、弟子たちはこの時点でもまだことの重大さに気がついておらず、師の悩み苦しみをよそに、何度起こされてもまた眠りこけてしまうのだった。

だいたい弟子たちは皆ガリラヤの田舎者で、無学だったから、エルサレムへくると気おくれがしてしまい、イエスの何者をも恐れぬ果敢な行動にはついて行けなかったようだ。そして福音書の記事から察すると、「どうにでもなれ」といった、半ば投げやりな心境にあったようにさえ思われる。

イエス捕えられ、裁判にかけられる

そのうちに裏切り者のユダを先頭に、祭司長らが差し向けた大勢の男どもが剣や棒を持ってやってきた。まだ夜で、あたりは暗い。人違いをしないように、あらかじめしめし合わせておいた通り、ユダはイエスに接吻《せっぷん》し、「先生、こんばんは」という。それを合図に、男どもはイエスに手をかけて捕まえた。

このときペトロは剣を抜き、大祭司の召使に切りかかって、その片耳を切り落とした。イエスは「剣をさやに納めなさい。剣を取る者はみな剣で滅びる」とたしなめる。大祭司は夜のうちにイエスを裁判にかけ、瀆神《とくしん》の罪をかぶせる。そして夜が明けるとすぐにローマの総督ピラトに訴え出た。ユダヤ人は裁判権を認められていたが、死刑執行権はなかったからだ。

また、瀆神罪ではローマの法律では死刑にならないので、イエスはユダヤ人の王であると称し、ローマに対し反逆を企てたと、罪状をすりかえた。

ピラトはイエスを尋問して、すぐに無実の罪であることを知り、釈放してやろうとしたが、祭司長らに扇動された「群衆はますます激しく『十字架につけろ』と叫び続けた。ピラトは、それ以上言っても無駄なばかりか、かえって騒動が起こりそうなのを見て……イエスを鞭打《むちう》ってから、十字架につけるために引き渡した」（マタイ伝二七章）

裁判の真相は不明というのが学者の説

イエスの裁判についての福音書の記述は、一応右のようであるが、詳しく検討すると不可解なことが多いので、事実その通りだったのかどうか疑問であるというのが、大方の学者の意見だ。

初期のキリスト教徒たちは、ローマ帝国という強大な政治権力に遠慮していた。できるだけローマ人に反感を持たせないようにして、平穏に布教を進めたいという考え方だった。そのため福音書を作るに当たっても、「イエスを処刑した張本人は大祭司ら一部のユダヤ人であって、ローマの総督ピラトのせいではなく、ピラトは本当はイエスを助けたいと思っていたのだ」という論旨にしたと、現代の学者は考えるわけである。

残酷を極めた十字架による処刑

ピラトがイエス処刑の決定を下した経緯は、実際にはどのようであったかという問題はともかくとして、処刑はその日直ちに行なわれた。

生身の人間の手足を大きな釘《くぎ》で十字架に打ちつけ、さらしておくという残酷な処刑法は、ローマ人が政治犯とか、主人を殺傷して逃亡した奴隷《どれい》などに適用したもの。十字架の死は、あらゆる死の中で最もみじめなものだといわれた。体重がかかるため、ビリビリと絶え間なく続く激痛。出血と、烈日にさらされることとで、ノドの渇きが処刑されている者を責めさいなむ。体力のある者ほど長く苦しみ、四日も五日も死にきれず、「殺してくれ、殺してくれ」と哀願したという。

イエスの場合は、自分が「はりつけ」になる十字架をかつがされ、ピラトの官邸から処刑場であるゴルゴダの丘まで歩かされた。十字架は、重さが少なくとも七〇キロあったと推定されている。徹夜の尋問の後、鞭打たれ、茨《いばら》の冠をかぶせられ、重い十字架をかついで坂道を登らされたイエスは、途中で何回も倒れた。その道は今もヴィア・ドロローサ（苦痛の道）としてエルサレム旧市街に残っている。

刑の執行にあたったローマの兵士は、さすがに憐《あわ》れと思ったのか、十字架につけられたイエスの右わきを槍《やり》で突いて、出血多量により早く死ねるようにしてやった。そのため、イエスは半日ぐらいで絶命した。

マグダラのマリアの前にイエス出現

福音書によれば、祭司長らは、ピラトに次のように願い出て、聞きとどけられた。

「この男は『自分は神の子で、死んでも三日目によみがえる』と豪語していました。弟子どもが死体を盗み出して、この男がよみがえったというまことしやかな話をでっちあげ、人心を惑わすといけませんので、墓には見張りの兵士をつけて下さい」と。

さて、翌日は安息日で何もしてはいけないので、三日目の日曜日にイエスの遺骸《いがい》を

ロマネスクの柱頭「ノリ・メ・タンゲレ」。ソーリューの大聖堂

拭《ふ》き清めようとして、マグダラのマリアたちが墓へ行ったところ、墓の中は空っぽで、遺骸に着せてあった衣が残っているだけだった。「どうしたのでしょう」と、マグダラのマリアが戸惑っていると、突然イエスが彼女の前に姿を現わす。

「イエスが『マリア』と言われると、彼女は振り向いて、ヘブライ語で『ラボニ』と言った。『先生』という意味である。イエスは言われた。『わたしにすがりつくのはよしなさい。まだ父のもとへ上っていないのだから』……」（ヨハネ伝二〇章）

福音書に述べられているイエス・キリストの復活のありさまは、ほぼこのようで、昔から多くの絵画、モザイク、彫刻、ステンドグラスなどに描き出されている。ことに、マグダラのマリアがイエスの出現に驚いて思わず抱きつこうとしたのを、イエスがおしとどめているありさまは、ノリ・メ・タンゲレと呼ばれ、さまざまの感動的な絵画の題材になった。ノリ・メ・タンゲレとはラテン語で「私に触れるな」という意味。なお、マグダラのマリアについては二一五ページ参照。

二一五ページ参照

そのほか、復活したイエス・キリストはいろいろな機会に弟子たちの前に姿を現わしたと、福音書には記されている。

復活の信仰からキリスト教が誕生

イエスが捕えられ、処刑されたときは、ただ逃げまわっていただけの弟子たちも、やがて「イエスは神の子、救い主キリストであり、三日目によみがえった」と固く信じるようになり、イエスの弟ヤコブや、一番弟子のペトロを中心にして、エルサレムに教団が生まれた。最初は、ユダヤ人社会というワク内での教団であったが、「神の子」という信条はユダヤ教とは絶対相容れないものであったから、「イエスを神の子、救い主キリスト」とする人たちの教団は、ユダヤ教とはまったく別個なものにならざるを得なかった。

これがキリスト教である。

地中海世界がローマ帝国によって統一され、人の往来は頻繁で、帝国の東半分ではギリシア語が、西半分ではラテン語が共通語として広く使われていたという好条件のもとに、キリスト教はユダヤからシリア全域、小アジア、ギリシア、エジプト、イタリアなどへ広まっていった。イエスと弟子たちが日常に使っていた言葉はアラム語であったが、新約聖書はギリシア語で編集された。

弟子たちは使命感に燃え、迫害をものともせず、生命をかけて宣教に努力した。ペトロがローマで殉教したと伝えられているのをはじめ、地元のエルサレムで、あるいは遠隔の地で殉教した弟子や孫弟子たちの数はたいへん多い。

ステパノの殉教とパウロの改心

キリスト教迫害の急先鋒《きゅうせんぽう》は当初はユダヤ人であった。

殉教者の第一号はステパノで、ユダヤ人によりエルサレムで「石打ち」にされた。「石打ち」は、宗教犯に対するユダヤ人の伝統的な処刑法であり、皆で寄ってたかって、処刑される者が息絶えるまで石を投げつけるという残忍なもの。ちなみにウィーンの聖シュテファン大聖堂は、この殉教者第一号ステパノに捧《ささ》げられている。

キリスト教の教義を確立するのに偉大な役割を果たしたサウロ（後にパウロと改名）もユダヤ人で、最初はキリスト教迫害の急先鋒の一人だった。それが、ダマスカスの郊外で電撃に打たれたような感じを受け、彼に語りかけるイエスの姿を見たと信じてからは、迫害から一八〇度転向して、キリスト教の熱烈な宣教者になった。この「パウロの改心」の情景もよく絵になっている。ステパノが「石打ち」にされながら、安らぎに満ちて殉教を遂げた崇高な姿を見たのが、パウロ改心の内的な契機になった。

小アジアのタルソスで裕福な家庭に生まれ育ったパウロは、ユダヤ人の聖典や律法はもとより、ギリシア哲学などについても、高い教養を身につけていた。無学だったイエスの直弟子たちとは大違いである。パウロはその教養をフルに活用して、キリスト教の教義の根本を確立した。「キリスト教の教祖はイエスか、パウロか？」という説をなす宗教史学者もいるくらいだ。

パウロの思想は新約聖書に収録された彼の手紙集の中で、高らかに述べられている。その代表格が「ローマの信徒への手紙」（ロマ書）である。

キリスト教徒はなぜ迫害されたか

ユダヤ人は紀元七〇年にローマに対し大反乱を起こした結果、徹底的に鎮圧され、パレスチナから根こそぎ追放されて、四散した。そのときに約七万人のユダヤ人捕虜が奴隷としてローマに連行され、コロセウムの建設などに使役された。

その前後から、ローマ皇帝によるキリスト教徒の迫害が始まっていた。では、なぜキリスト教徒は迫害されたのか。

ローマ帝国は、ユピテルを最高神とする伝統的なローマの神々の信仰を国教にしていた。ギリシアの神々はその中に同化された。そしてアウグストゥスの時代から、皇帝を現人神《あらひとがみ》として神々の列に加え、帝国の各地に皇帝を祭る神殿が造られた。そのほかエジプト起源のイシス女神の信仰や、シリア起源のミトラ教なども帝国内に広まっていたが、これらはもともと多神教的であり、ローマの神々や皇帝も合わせて礼拝することにやぶさかではなかったので、弾圧はされなかった。

ところが、キリスト教徒はヤハウエを唯一《ゆいいつ》絶対の神とする信条から、ローマの神々や皇帝を礼拝することを拒否したので、権力側から危険視され、迫害されたのである。初期のキリスト教は何か謎《なぞ》めいた邪教のように思われていた。「ヨソの赤ちゃんを誘拐してきて、礼拝の時にその生き血を飲む」といったような噂《うわさ》もたてられた。赤ブドウ酒を「神の子キリストの血」として飲む聖餐式《せいさんしき》のことが、あらぬ噂のもとになったのであろう。

ギリシア正教

ギリシア、小アジア、バルカン諸国、ロシアなどで出会う〝神秘の宗教美〟の源泉

帝国の傘の下で広まったキリスト教

ギリシア正教（単に正教ともいう）は、われわれ日本人にはわりに馴染《なじ》みの薄い存在だ。それだけに過去千数百年間にわたって正教文化圏だった地域を旅するときには、正教についての予備知識があると旅の成果がいっそう大きくなる。

正教とは何ぞやという話は、まずキリスト教の発展史から始めねばならない。

もしイエスが五〇〇年前または五〇〇年後に生まれていたとしたら、キリスト教は微力な一地方宗教として立ち消えてしまい、決して世界的な宗教にはならなかったろうといわれている。紀元前五〇〇年頃は西アジアの混乱期であったし、紀元五〇〇年頃も西ローマ帝国滅亡に続く地中海世界の混乱期であった。

ところがイエスとその弟子、孫弟子たちが活躍した一、二世紀は、ローマ帝国の黄金時代の始まりであった。ローマの威力によって全地中海世界に平和が確立され、人の往来は極めて自由で安全になった。東はシリアから西はイベリア半島まで、人々は何の心配も妨げもなく旅行できた。こんなことは後にも先にもなかった。言葉の点でも、ローマ帝国の東半分ではギリシア語が、西半分ではラテン語が公用語として広く使われ、あらゆる民族の壁を乗り越えて思想を伝え合うことができた。

このように、歴史上にたった一回しか起こらなかった好条件のもとで、キリスト教は短期間にローマ帝国の全域に広がった。

ローマとコンスタンチノープルの争い

当初、キリスト教の五大中心地はエルサレム、アレキサンドリア、アンティオキア、コンスタンチノープル、ローマであった。ローマ時代に先立つヘレニズム時代には、アレキサンドリアを首都とするプトレマイオス王国と、アンティオキアを首都とするセレウコス王国が東地中海の二大勢力であり、これら二つの都市はローマ時代に入ってもなお、コンスタンチノープルやローマと肩を並べる有力都市だったのである。

七世紀に入ると、アラブ人の勃興《ぼっこう》がこの地図を塗りかえた。エルサレム、アレキサンドリア、アンティオキアはアラブ人に占領され、キリスト教の大中心地の一つという地歩を失ってしまった。残ったのは、コンスタンチノープルとローマを中心とする二大勢力だ。前者はギリシア正教（英語ではグリーク・オーソドックス）、後者はローマ・カトリックとなり、今日に至るまでキリスト教の大きな二つの流れをなしている。

お互いに主導権を主張し喧嘩《けんか》別れに

オーソドックスは正統、カトリックは普遍的という意味。お互いに我こそはキリスト教の主流であり、最高指導者であるといい合っているわけで、事実、両者の主導権争いは延々と数百年間も続いたが、一〇五四年に決定的に喧嘩別れをするに至った。ギリシア正教の総主教とローマ法王が握手をして和解したのは、ごく近年のことだ。

イエスは生前、弟子たちの間に何らの階層的区別も設けなかった。教団という組織ができ、指揮命令系統が生まれたのはイエスの死後のことだ。したがって教団に頭が二つできて、お互いに自分たちの方が上だといい合ってみても、しょせんは水掛け論であった。

ギリシア正教はバルカンからロシアへ

ギリシア正教は、その後バルカン半島からロシアに広まったが、肝心の地元の方はイスラム教徒のアラブ、続いてトルコに蚕食され、一四五三年にはついにコンスタンチノープルもオスマン・トルコに奪われてしまった。

もともとイスラム教徒は、支配下に入ったユダヤ教徒やキリスト教徒に対し、同じ「啓示の民」として極めて寛容な政策をとった。イスラム教徒が征服地のキリスト教徒を迫害したというのは、ヨーロッパのキリスト教徒側の宣伝であり、事実に反している。

オスマン・トルコもギリシア正教をむしろ保護するという態度をとり、ギリシア正教の総主教が引き続きイスタンブールに在位することを認めて、現在に至っている。ただし、ギリシア国民はこの都市をイスタンブールとは呼ばず、今なお頑固にコンスタンチノープルと呼び続けている。

ローマ・カトリックが圧倒的に優位に

ローマ・カトリックの方は、かつてのローマ帝国の境を越えてケルト人やゲルマン人の間に教えを広め、後には新大陸にまで及んだから、現在の勢力分布では決定的にギリシア正教に水をあけてしまっている。その間、プロテスタントがローマ・カトリックから分離したけれども、ギリシア正教に対する優位にゆるぎはなかった。

今日では全世界のキリスト教徒のうち約六〇パーセントがローマ・カトリック、約二四パーセントがプロテスタント、約一四パーセントがギリシア正教（セルビア、ブルガリア、ルーマニア、ロシア正教などを含む）、残り約二パーセントがその他の宗派だといわれている。イスラムの勢力が伸びてからも、西アジアにはアルメニア派やシリア派、エジプトやエチオピアにはコプト派など、キリスト教の諸宗派が存続した。

メテオラの岩峰の上にある
ギリシア正教の修道院

ギリシア正教とこれらの諸宗派をまとめて東方教会と呼ぶ。宗派が違い、信条の細かい点では違っていても、典礼や宗教美術などの面では多分に共通性が認められるからだ。

それに対してローマ・カトリックを西方教会と呼ぶ。日本人に馴染みが深いのはこの西方教会の方である。

正教では国別に教会の自立化が進んだ

西方教会ではローマ法王が至上権を持ち、世俗の国境を越えて、あらゆる国のカトリック教会に対し支配を及ぼしていた。

それに対しギリシア正教では、コンスタンチノープル総主教の権威はそれほどではなく、九世紀頃から各国別に教会の自立化が始まった。セルビア正教、ブルガリア正教、ロシア正教、後にはルーマニア正教などが生まれ、それぞれの国に総主教がおかれるようになった。ギリシア正教ではビザンチン帝国皇帝を首長とする主義をとっていたので、ビザンチン帝国と政治的に対立するようになったセルビア王国やブルガリア王国が、教会の自立化をおし進めたのはむしろ当然であった。

しかし典礼、聖堂建築、宗教美術などについては本家ギリシア正教のものをそのまま受け継いだので、われわれの目から見れば本質的にはみな同じである。ただ何百年という長い時の流れの中で、それぞれ民族的な特色が加わったというに過ぎない。そこで西欧諸国や日本ではこれらをすべてひっくるめてギリシア正教、あるいは単に正教と呼ぶのが普通だ。例えば正教独特の壁画とかイコンの美しさなどを論じるには、その方が合理的なのである。特に民族的な特色をとりあげるような場合にだけ、セルビア正教とかロシア正教とかいうことが多い。

ところが「すべてをひっくるめてギリシア正教と呼ぶ」のは、西欧諸国や日本で勝手にそうしているわけであって、現地の人はそうではない。例えばブルガリアの聖堂で「このギリシア正教の壁画は美しい」などといおうものなら、たちまちピシッと訂正される。「いや、これはギリシア正教ではなく、ブルガリア正教の壁画です」と。

ブルガリア正教のアレクサンドル・ネフスキー大聖堂（ソフィア）

苦難の時代に正教が民族のシンボルに

一四世紀後半から一五世紀にかけて、ロシア以外の正教諸国はことごとくオスマン・トルコに征服されるという悲運に襲われた。トルコ軍侵攻の矢面に立たされた正教諸国とハンガリーは、西欧諸国の応援を得て何回もトルコ軍と決戦をまじえたが、そのたびに大敗したのである。

ブルガリアの民族文化を伝えてきたリラ修道院

一五二六年にモハッチの戦いでまたもや大敗してからは、ハンガリーの大部分もトルコに征服され、一五二九年にはウィーンが包囲攻撃されるというありさまであった。その後はオーストリアのハプスブルク家の巻き返し作戦が徐々に効を奏し、ハンガリーあたりまでは奪回されたけれども、正教諸国は数百年にわたってトルコの支配下におかれたのである。

西欧列強の支援を受けて正教諸国がトルコからの完全独立を果たしたのは、ギリシアが最も早くて一八二九年、ブルガリア、ルーマニア、セルビア、アルバニアなどは一九世紀末から二〇世紀初めにかけてであった。

このように長く続いたトルコ支配の時代に、それぞれの民族が自分たちの固有の文化のシンボルとし、民族のアイデンティティの拠《よ》り所ともしたのは、ブルガリアではブルガリア正教、セルビアではセルビア正教、などなどであった。

親トルコ的な総主教とは一線を画して

ギリシアでも事情はまったく同じであったが、正教の本家本元であるため、複雑な経過をたどって、「ギリシア民族のためのギリシア正教」あるいは「狭義のギリシア正教」ともいうべきものが醸成されるに至った。

「広義のギリシア正教」のトップであるコンスタンチノープル総主教は、代々オスマン・トルコ帝国政府の手厚い保護を受けて、極めて親トルコ的であり、また民族の垣根を超越して、すべての正教の最高指導者であるという意識が強かった。そのため、ギリシア人の間で高まってきた民族主義に対しては、はなはだ冷淡であった。おまけにトルコ支配下の諸国で民族独立運動が盛んになり、正教の僧侶《そうりょ》が陰に陽にそのリーダーになるという事態が起こると、コンスタンチノープル総主教はトルコ政府の意を受けて、各国の正教と民族独立運動とを切り離そうという政策に協力するに至った。

そんなわけで民族独立をめざすギリシア人は、同胞でありながらコンスタンチノープル総主教とは一線を画し、「ギリシア民族のためのギリシア正教」という道をとらざるを得なかったのだ。だから教義や典礼などの点ではまったく変わりはない。

なお、民族独立運動と正教とを切り離すためにコンスタンチノープル総主教から送り込まれたギリシア人の僧侶は、ブルガリア、セルビアなどでは激しい反発の的になった。「おれたちの敵。トルコの犬だ」というわけである。

今でもブルガリア人がブルガリア正教とギリシア正教とを一緒くたにされるのを嫌う背景には、このような歴史が尾を引いている。

ギリシアでは熱烈な信仰が生きている

ギリシア国民が今なおギリシア正教に寄せている思いはほとんど熱狂的ともいえるほどだ。ギリシア人と宗教の話を始めると、雑談をしているときとは打って変わって彼らはムキになり、ちょっとしたことに対しても血相を変えて反論してくる。こちらが思わずタジタジとなるくらいだ。それは四〇〇年間もオスマン・トルコに支配され、民族の誇りを踏みにじられてきたギリシア人の恨みつらみが育て上げた情熱であり、強固な伝統になってしまっていて、独立後一七〇年以上たった今でも一向に冷めないのである。

ギリシアでは国家、公共団体、大学などの重要な式典は、まず最初にギリシア正教の高僧の祝福がなくては始まらない。高僧の首位にあるのがアテネ府主教（ミトロポレオス）で、これが「狭義のギリシア正教」のトップである。

コンスタンチノープル総主教は建前としては最上位にあると認められているが、これに対するギリシア国民の態度は冷淡そのものだ。全世界の正教を代表して何かの国際会議に出席したコンスタンチノープル総主教が、「極めてトルコ寄りの、間違った発言をした」といったようなニュースがギリシアの新聞にでかでかと出たりする。

信仰の変遷《へんせん》とは別に伝えられた文化財

数百年間もトルコに支配されていた間、正教が民族文化のシンボルであり、民族のアイデンティティの拠り所だったこと、そしてトルコに対する血みどろの独立闘争において正教が精神的なバックボーンになっていたことは、セルビア、マケドニア、ブルガリア、ルーマニアにおいても、ギリシアと同様であった。

しかし、これらの民族は第二次世界大戦後に社会主義化の大波に洗われたため、今では宗教はあまり意味を持たないものになってしまった。それだけに今なお熱狂的に正教を支持しているギリシア人の突出ぶりが目立つのかも知れない。ギリシア以外の国々では、今や正教はどちらかといえばジイさんバアさん宗教なのである。

それでもこれらの国々には、千年以上もの歴史を持つ正教の文化遺産が豊かに伝えられている。

カトリック文化圏と正教文化圏

PECTPAHと書いてどう発音するか。ペクトパー？　それともレストラン？

文化の基盤にまで及んだ深い影響

われわれがひとくちに東欧と呼んでいる地域は、歴史的には二つの異なった文化圏に属してきた。ポーランド、チェコ、スロバキア、ハンガリー、スロベニア、クロアチアがカトリック文化圏、セルビア、マケドニア、ブルガリア、ルーマニアが正教文化圏である。

狭い意味での東欧には入れない地域では、ギリシアとロシアとが正教文化圏の重要メンバーであることはいうまでもない。

カトリック文化圏と正教文化圏では、単に宗教に関連した建築様式や美術工芸などの点ばかりではなく、文化の深層においても大きな差違がある。長い中世から近世にかけて、文化の伝え手、担《にな》い手は主として宗教家だったから、宗教の違いが文化全般に大きな影響を及ぼしてきたのだ。

正教と共に伝えられたキリール文字

ロシア、ウクライナ、ブルガリア、セルビアなどを旅していると、よくPECTPAHと書かれた看板を目にする。あなたはこれを何と読むか。ペクトパー？　それともレストラン？

すぐにレストランと読めるようなら、あなたは既に正教文化圏の通だ。Pはローマ字のピーではなくて、ギリシア字のρ（ロー）に由来し、音価はローマ字のRと同じ。Hはローマ字のエイッチではなくて、ギリシア字のν（ニュー）に由来し、音価はローマ字のNと同じなのである。それでPECTPAHでペクトパーではなく、レストランになる。

現在ロシア語、ウクライナ語、ブルガリア語、セルビア語などで使われているこの系統の文字のもとになったのは、正教の僧侶《そうりょ》だったキュリロスが九世紀の中頃に作り出したキリール文字であり、正教と共に広くバルカン半島からロシアにまで伝えられた。

ルーマニアでも約千年にわたってキリール系の文字を使ってきたのだが、一八五九年にトルコからの独立を果たすとともに、キリール系の文字を廃止してローマ字に切り替えてしまった。ローマ人の子孫であることを自負するルーマニア人が、「これからは文化的にも西向きで行くぞ」ということを内外に表明したわけである。

伝道のための熱意から新しい文字が

キュリロスは熱心にスラブ人の間に正教を広めようと努力した人物である。その頃スラブ語にはまだ文字がなかったので、正教の僧たちはギリシア語で書かれた聖書や祈禱書《きとうしょ》を使っていたが、それでは民衆にはチンプンカンプンであり、布教がはかばかしくいかなかった。

そこでキュリロスはギリシア文字をもとにして、スラブ語を表記するのに便利な文字を開発し、スラブ語の聖書や祈禱書を作った。いずれにせよ民衆の多くは読み書きができず、僧たちに聖書や祈禱書を読み聞かせてもらったのであるが、それでもチンプンカンプンのギリシア語と違って、スラブ語ならばよく分かり、非常に効果があった。

学者の研究によれば、キュリロスが作ったのはグラゴール文字と呼ばれるもので、それからさらに派生したのが今日まで伝わっているキリール文字だという。しかしスラブ人に初めて文字を与えた彼の名は「キュリロスの文字」すなわちキリール文字として、いつまでも歴史に残ることになった。

モスクワ大公が帝位を継ぐと称したが

カトリック文化圏に比べると正教文化圏は政治的に不運であった。中心であるべきビザンチン帝国はイスラム教徒のアラブ人やトルコ人に領土を蚕食されて勢いが衰え、一四五三年にはついに滅亡してしまう。それと前後して、バルカン半島の正教諸国も次々にトルコに征服されてしまったことは前記の通りである。

その後は正教圏で独立国として残ったのはロシア（モスクワ大公国）だけであった。モスクワ大公イワン三世はビザンチン最後の皇帝の姪《めい》ソフィアを妃《きさき》に迎え、正教の首長としてのビザンチン皇帝の法統を継ぐと称し、皇帝（ツァーリ）の肩書や、ビザンチン皇帝の「双頭の鷲《わし》」の紋章を使い始めた。

しかしイワン三世にできたのは、貴族の専横をおさえて国内の統一を推進したことぐらいであり、ロシア以外の正教圏にまで影響力を及ぼすことなど思いもつかなかった。結局はロシア正教の独自化が進み、正教圏全体としてはますますバラバラの状態になっただけであった。

ヨーロッパ文化は決定的に西高東低に

それから間もなくカトリック文化圏では人文主義、宗教改革、自然科学思想の勃興《ぼっこう》などが始まり、西欧社会に激変がもたらされた。

もともとカトリック文化圏では著作らしい著作はすべてラテン語で行なわれるのが習慣であり、これらの新しい思想はラテン語という共通の翼に乗って、どんどんカトリック文化圏内の各国に広まっていったけれども、正教文化圏へはあまり伝わらなかった。正教文化圏にもラテン語を解する者がまったくいなかったというわけではないが、その数はカトリック文化圏に比べると問題にならないほど少なかった。

それに正教文化圏の大部分はトルコに首根っ子を押さえられ、唯一《ゆいいつ》の独立国であるロシアもまだまだ後進状態にあって、新しい文化をどんどん吸収できるような気運にはなかったのである。その間に西欧は飛躍的な発展を遂げ、ヨーロッパにおける文化の西高東低の関係は決定的になってしまった。

ヨーロッパと聞いて、われわれ日本人がすぐに思い浮かべるイメージは、実はカトリック文化圏のそれなのである（この場合にはカトリックから枝分かれして生まれたプロテスタントの文化圏も含む)。いいかえれば、われわれ日本人はこれまで正教文化圏のことをほとんど眼中においていなかった。幕末明治いらい、われわれ日本人はもっぱらカトリック文化圏でありプロテスタント文化圏である西ヨーロッパ諸国やアメリカを通じて、西洋文化を取り入れた。その頃の西ヨーロッパ人やアメリカ人は、不当に正教文化圏を見下す傾向が強かったので、彼らの偏《かたよ》った考え方がそのまま日本に入ってきたのである。論より証拠で、明治いらいわが国の学者や文化人がキリスト教について書いたものといえば、ほとんどすべてカトリックかプロテスタントに関することであった。正教の存在は彼らの意識のなかから欠落していた観がある。

唯一《ゆいいつ》の例外はロシアの正教文化である。幕末いらい日本に脅威を与え続けた強大な隣国として、ロシアは常に日本人の関心の的であったが、そのうちに主としてロシア文学を通じて、正教のことが少しずつ日本にも知られてくるようになった。

現在は正教文化圏を旅する人が激増したことや、ビザンチン美術に対する関心が高まってきたことがあいまって、日本でもようやく正教文化が見直される機運にあるといえよう。

イコノスタシスとイコン

イコンにこめられている民衆の熱い願い
日本では単なる美術品あつかいだが

深い宗教的感銘を覚える正教の教会

教会の建築や礼拝の形式だけに限ってみても、東西の違いは非常に大きい。正教の教会の中に入ると、われわれがいつも見慣れている西欧の教会とはまったく感じが違うので、多少なりとも教会に関心を持っている者なら、たちまち好奇心をそそられる。

堂内は荘重にほの暗く、天井から立派な銅製や銀製のランプが吊《つ》り下げられている。会衆席の正面には木造や石造の大きな仕切りがあり、祭壇はその背後に隠れていて、会衆席からは見えない。この仕切りのことをイコノスタシスと呼び、大小とりまぜていくつものイコンが掲げられている。イコンとはキリスト、聖母、聖人などを板に描いた聖画である。

敬虔《けいけん》な信者たちが、礼拝の時間以外でも一人で教会にやってきてイコノスタシスの前に跪《ひざまず》き、熱心に祈っているのをよく見かける。異教徒のわれわれでも深い宗教的感銘を覚えるような雰囲気だ。

イコノスタシスに掲げられているいくつものイコンに片端から祈りを捧《ささ》げ、口づけしていく人もいる。イコンに口づけできるように、母親やおばあちゃんが子供を両手で持ち上げているのはほほえましい光景だ。

14世紀のイコン。アテネのビザンチン博物館

イコノスタシスを聖障壁というわけ

礼拝のときには大勢の信者がやってきて燈明《とうみょう》をともし、イコノスタシスの前に跪く。ギリシア正教の僧はヒゲもじ

ャで、黒い長衣と黒い帽子を着用している。

礼拝の儀式は荘重そのものだ。僧だけがイコノスタシスのくぐり戸から入って祭壇の前に進み、また会衆の前に戻ってくる。イコノスタシスより奥の方は僧だけが入ることを許される聖域と考えられているのである。イコノスタシスとは「イコンが止まる所」というほどの意味だが、聖域の境をなしているため、日本では聖障壁と訳すこともある。

盛んに香《こう》を焚《た》くことも正教の礼拝の大きな特徴だ。僧が、もうもうと香煙をあげている振り香炉でもって聖域の中をくまなく香煙で満たし、それから会衆席に出てきて、信者一人一人に向かって香煙を振りかける。異教徒と分かっているわれわれ見学者にも、丁寧に香煙を振りかけてくれる。香炉には鈴のようなものが付いていて、僧が香炉を振り動かすたびにカランカランと鳴る。

香炉を振りながらの巡回は二度三度と繰り返して行なわれ、しまいには堂内に香煙が充満して、息苦しいばかりになる。礼拝が終わって外に出ても、香が衣類にしみこんでいて、一日中とれない。

カトリックでも振り香炉は使うけれども、とても正教の比ではない。

偶像崇拝におちいることを警戒して

ギリシア正教の教会には、立体的な偶像はまったくない。イコン、壁画、モザイクのような平面的な図像ばかりである。これが西方教会とのもう一つの大きな相違点である。

ローマのサン・ピエトロ大聖堂、パリのノートルダム大聖堂などを思い浮かべてみるとよい。外側も内側も丸彫や高浮彫の偶像で満ち満ちている。ギリシア正教の教会にはそれがないので、非常にすがすがしい感じがする。

キリスト教の母体になったユダヤ教は、昔から偶像厳禁の宗教であり、今でもそれを固く守っている。金や石などで造った像を神として拝んではならないという戒めは、旧約聖書に繰り返して出てくる。キリスト教も最初は偶像厳禁であったが、いつの間にか気持ちが緩み、信者が偶像を拝むのを黙認するようになり、ついには聖職者が布教の手段として積極的に偶像を利用するようになった。形ある物を拝みたいと思うのは人間の常。聖職者としても、目に見えない抽象的な観念としての神の存在を説くより、目に見える偶像を利用する方が手っとり早い。

結局、西方教会では教会の内外に偶像が満ちることになってしまった。が、原始キリスト教により近く、正統を守っているギリシア正教では、偶像の使用に一線を画した。平面的で、しかも過度にリアルではない聖画はよいが、立体的な偶像は厳禁というわけである。

偶像破壊運動と〃聖画讃仰《さんぎょう》〃論

歴史的にはギリシア正教の内部でしばしば、「平面的であるか立体的であるかを問わず、いかなる偶像にも反対」という運動が起こり、イコンが燃やされ、壁画やモザイクが剝《は》ぎ落とされるという騒動があった。これをイコノクラスム（偶像破壊運動）という。しかし最後には、平面的でしかも過度に写実的でない聖画まではよいという線に落ち着いたのであった。偶像厳禁という根本原則からすればおかしいのであるが、形ある物を拝みたいという多くの信者や下級聖職者の欲求が勝ちを占め、一種の妥協が行なわれたのである。

神学的には、次のような理論が考え出された。「金属や石の塊、絵具を塗った木板といった『物』自体を神として拝むのではない。聖画を仰ぎ見ることによって、神に思いを至し、諸聖人に思いを至して、姿なき神に祈り、信仰を深めるよすがとするのである。聖画を崇拝するのではなく、讃仰するのである」と。

観光という立場からみると、わざと非現実的に描かれている聖画やモザイクしかないギリシア正教の教会は、非常に特異な宗教的雰囲気に満ちているように感じられる。

正教徒の生活に密着していたイコン

右のような神学論にはお構いなしに、民衆はイコンという物そのものに霊力が宿ると信じていた。教会ばかりではなく、各家庭でも朝な夕なイコンに向かって礼拝し、旅人や兵士は小さなイコンを懐中に入れてお守りにした。盾や剣のツカに小さなイコンを仕込んで、戦闘のときのお守りにした例も多い。病気やケガの際には、霊験あらたかなイコンを患部に当てて、治癒を祈った。

こういう点は、西方教会でキリスト像やマリア像、聖遺物などが崇拝の対象になっていたのと軌を一にしている。

木村浩《ひろし》著『ロシアの美的世界』（新潮選書）によれば、革命前のロシア人はまさにイコンに囲まれて生活していた。

子供が生まれると、誰か聖人の名をとって子供に名をつける。例えばニコラというように。そうすると聖ニコラはその子の生涯にわたる守護聖人になる。部屋には聖ニコラのイコンを飾り、旅をするときにはお守りとして小型の聖ニコラのイコンを肌身離さず持ち歩く。

職業に就くと、それぞれの職業によって決まっている守護聖人がまた新たに一枚加わってくる。例えば、鍛冶屋《かじや》や金細工師なら聖コジマと聖デミヤンが守護聖人である。日常生活においても、家に泥棒が入れば盗品が戻るようにと聖フョードル・チロンのイコンに願い、メンドリが卵を生まなければ聖マモントのイコンに祈るというぐあいであったという。

今でもギリシアのように正教の信仰が盛んな所では、どの家庭にも必ずイコンが安置されているけれども、それはちょうど日本の神棚のような感じである。イコンを患部に当てることによって病気がなおることを願うといったような、迷信的な要素はもはやなくなっている。

新作のイコンは旅のお土産に好適

正教文化圏ではどこでも、よく土産物店などでイコンを売っている。制作年代が古くて美術品の部類に入るものは別として、こういう店で売っているイコンはみな新作であり、値段が手頃な割りにはなかなかよく描けているものが多い。ロシアとか、ブルガリアとか、ギリシアとか、それぞれの国の郷土色が端的に表れていて、良いお土産になる。イコンの飾りに使われる刺繡《ししゅう》入りの布も面白い。

造形美術に現われるシンボル

誰が見ても分かる〝形あるシンボル〟は
キリスト教美術を理解するためのいとぐち

天使、ライオン、牛、鷲《わし》のマークは

仏教やヒンズー教の場合と同じように、キリスト教にも多くの造形的なシンボルがあり、絵画、彫刻、建築などにたくさん用いられている。中でも特によく出てきて、観光とも関係の深いものをあげてみよう。

まず四福音書記者のシンボルがある。聖マタイは天使、聖マルコは「翼あるライオン」、聖ルカは牛、聖ヨハネは鷲である。

絵画や彫刻では、人間の姿をした四人の福音書記者が、それぞれ自分のシンボル・マークを手にしている場合もあれば、単にシンボル・マークだけが表現され、四福音書記者を暗示している場合もある。幻想性を重んじたロマネスクの彫刻では、特によ

四福音書記者のシンボル。左上マタイ、左下マルコ、右下ルカ、右上ヨハネ。アルルの大聖堂

くこれらのシンボル・マークが使われている。

〝翼あるライオン〟が国章に

ヴェネツィアへ行くと、いたる所に「翼あるライオン」の像や浮彫があることに気がつく。サン・マルコ広場から大運河のほとりへ出た所には、石柱の上に巨大な「翼あるライオン」が乗っかっているし、多くの建造物の壁にも「翼あるライオン」の浮彫が施されている。かつてヴェネツィア共和国の領土だった北イタリアやダルマチア海岸の諸都市、クレタ島などでもそうだ。

これはヴェネツィア共和国が福音書記者マルコを守護聖人とし、そのシンボルである「翼あるライオン」を国章にしていたからだ。ヴェネツィアの艦隊や商船隊は、「翼あるライオン」の旗を誇らかに掲げて、東地中海をわがもの顔に航行していた。

聖マルコの遺骸《いがい》はもとはアレキサンドリアにあったのだが、八二八年、戦乱のドサクサに紛れて、アレキサンドリア在住のヴェネツィア商人が二束三文で買い取り、秘《ひそ》かに運び出した。そのとき、アレキサンドリアの港で役人に見つかって押収《おうしゅう》されるのを恐れ、遺骸を納めた木箱の中にいっぱい豚肉を詰めておいた。木箱を検査した役人は、イスラム教徒が忌《い》み嫌う豚肉が詰まっていたため、中まで調べてみようとはせず、マンマとだまされたと伝えられている。

聖なる遺骸はヴェネツィアの大聖堂に安置され、サン・マルコの名が生まれた。

〝丸に十の字〟はキリストのしるし

一般に神様や聖人の像を総称して尊像と呼んでいる。ユダヤ教やイスラム教のように偶像厳禁である場合は別として、どの宗教でもやたらに多くの神様や聖人の像を造るものだから、しまいにはどれが誰やら分からなくなってしまう。まさか尊像に名札をつけておくわけにもいかないので、何か特別の物を持たせて区別するようになった。

例えば仏教では、水瓶《すいびょう》を持っていれば観音菩薩《ぼさつ》で、姿形がよく似ているほかの尊像と区別できるといった調子である。

キリスト教で、十字の入っている光背《こうはい》をつけてよいのはイエス・キリストだけ、一般の聖人や天使にはただの円形の光背をつけるという約束事をつくったのも、その一例。

イスタンブールのアヤ・ソフィアのモザイク「全能のキリスト」

これは時代の古い壁画、浮彫やモザイクを見るときにたいへん役に立つ約束事で、「丸に十の字」の光背があることでただちにそれがキリストであることが分かる。時代の新しい作品だと、キリストだけ特に威厳があるように描いてあるので分かりやすいのだが、古いものは登場人物がみな同じように見えることが多い。

人間に光背をつけてよいのは正式に列聖された者に限るとされており、これで群像の中の聖人と一般人とを識別できる。これまた群像のテーマになっている物語の筋を理解するのに、意外に役に立つ。

前記の四福音書記者のシンボルも、識別のために欠かせないものだ。

皮袋と倒れた塩入れはユダのしるし

十二使徒にもそれぞれシンボルがある。

悪い方では、小さな皮袋を握りしめているのは「イスカリオテのユダ」だ。皮袋の中にはイエスを裏切る約束をして得た銀貨三〇枚が入っている。

持ち物ではないが、食卓の上で塩入れをひっくり返している(ように描かれている)者がいたら、それはユダである。イエスに裏切りを見すかされ、びっくり仰天したはずみに塩入れをひっくり返したと伝えられているからだ。そのためキリスト教国では、食卓の上で塩入れを倒すのは非常に縁起の悪いこととされている。

鍵《かぎ》は十二使徒の筆頭ペトロのしるし

十二使徒が持っているシンボルのうち、よい方では聖ペトロの「鍵」が随一だ。これは観光の説明にも頻繁に出てくる。

ペトロの本名はシモン。ガリラヤ湖の漁師であったが、イエスのいちばん最初の弟

右側の鍵を持っているのが聖ペトロ。アルルの大聖堂

子になった。それまでイエスは、ナザレという村で父の業を継いで大工をしていたのだが、洗礼者ヨハネという在野の熱烈な宗教家が現われたのに啓発され、三〇歳頃になってから急に家業をやめ、宗教活動を始めたのだった。そういう海のものとも山のものとも分からぬイエスに賭《か》けたのだから、ペトロも相当に風変わりな、「人生意気に感ず」式の男だったに違いない。

ペトロはガッツがあることと力が強いことでは抜群だったらしい。イエスが弟子たちと共に旅に出るたびに、ペトロはいつも先頭を歩いた。いうなればイエスのグループをぐいぐい引っ張っていく機関車のような存在だった。

ペトロというのはアダ名で、岩という意味。ここからペトロと「鍵」の話が始まる。

イエスがペトロに授けた〝天国の鍵〟

形勢が日ましに絶望的になってきたとき、イエスは最も頼りにしていたペトロに向かっていった。

「あなたはペトロ。わたしはこの（あなたという）岩の上にわたしの教会を建てる。陰府《よみ》の力もこれに対抗できない。わたしはあなたに天の国の鍵を授ける。あなたが地上でつなぐことは、天上でもつながれる。あなたが地上で解くことは、天上でも解かれる」

マタイ伝一六章にある有名な文句だ。イエスはたとえ話をするのが上手だった。自分が反対者の手にかかって間もなく殺されるであろうことを予見し、シモンのアダ名がペトロ（岩）であることにひっかけて、自分なき後教団の基礎を確立する仕事を彼にゆだねたのであった。

こういう由来で「鍵」は聖ペトロのシンボルになった。大きな「鍵」を手にしている聖人の像があったら、それは聖ペトロだと断定して間違いはない。

〝ぶっ違いの鍵〟が法王のしるし

期待にそむかず、イエスの死後もペトロは教団の機関車であり続けた。そして各地をめぐって布教につとめ、最後には皇帝ネロのときにローマで逆さはりつけにされて殉教したと伝えられている。

聖ペトロの遺骸の上に建てられたのがサン・ピエトロ大聖堂であり、聖ペトロの法統を受け継いでいるのがローマ法王だ。そこで、イエス・キリストは「天国の鍵」を聖ペトロに授けたのだから、それを受け継いでいるローマ法王を通じないことには、誰も天国へ入ることはできないとされている。

そういうわけで、ぶっ違いになっている二つの大きな鍵が法王のしるしだ。法王宮殿（バチカン博物館）やサン・ピエトロ大聖堂のいたる所にこの鍵のしるしがある。大聖堂の床に、色違いの石で象眼されている巨大な鍵のしるしもその一つ。バチカン市国の旗も、鍵を図案化したものだ。

師の傷口に指を入れた〝不信のトマス〟

イエスが捕えられ処刑された直後は、男の弟子たちはさっぱりダラシがなかった。自分たちも同じ運命に遭うのではないかと恐れ、一軒の家に集まり、戸に鍵をかけて、ひっそりと息をひそめていた。

イエスが処刑されてから三日目の夕方、あたりも暗くなった頃、戸に鍵がかかっているはずの家の中に突然一人の男が現われ、弟子たちの真ん中に立って、「今晩は」

といった。弟子たちはびっくり仰天したが、なんとそれは死んだはずの師イエスであった。

弟子たちは既にイエスが復活したという知らせを受けてはいた。その日の朝マグダラのマリアが興奮して駆け込んできて、こういったからだ。「みなよく聞いて。前からおっしゃっていたように、先生はやっぱり三日目によみがえりなさったのよ。わたしの目の前にお立ちになったので、先生って飛びつこうとしたら、ノリ・メ・タンゲレ（触っちゃダメ）とおっしゃったわ」

ロマネスク彫刻に見る12使徒。前列左から「不信のトマス」、キリスト、１人おいて聖ペトロ。サント・ドミンゴ・デ・シロス修道院

弟子たちはマグダラのマリアの言葉だけで

はまだ信じられない気持ちだったが、自分たちも実際にイエスの姿を見、その声を聞いて、イエスが復活したことを信じるようになり、喜びに満たされたのだった。

弟子たちの中でただ一人トマスだけはその場に居合わせなかったので、イエスの復活を信じようとせず、こういい続けた。

「あの方の手に釘《くぎ》の跡を見、この指を釘跡に入れてみなければ、また、この手をそのわき腹に入れてみなければ、わたしは決して信じない」（ヨハネ伝二〇章）

イエスは八日目に、すなわち次の日曜日に、また弟子たちの前に姿を現わし、トマスに手の釘跡を見せ、トマスの指をわき腹の傷口に入れさせた。それでトマスはやっと納得したわけである。これを「不信のトマス」という。そしてイエスのわき腹に人差指を突っ込んでいるありさまが、使徒トマスのシンボルだ。

十字架の苦痛を短くするため、ローマの兵士が槍《やり》でイエスのわき腹を突き、出血多量で早く死ねるようにしてやったことは前述した。

なお、聖書には、イエスは弟子たちに「あなたがたに平和があるように」といった、とある。これは現在でも広く使われている挨拶《あいさつ》の言葉「サラーム・アレイクム」などとまったく同じ意味で、ごく普通の挨拶であり、「お早う、今日は、今晩は」に当たる。

マグダラのマリアの長い髪と香油壺《つぼ》

イエスの身辺には一群の献身的な女性信者たちがいて、「自分の持ち物を出し合って、一行（イエスとその弟子たち）に奉仕していた」（ルカ伝八章）。中でも異彩を放っていたのがマグダラのマリアである。イエスの身辺にはマリアという名の女性が何人もいたので、このように出身地の名を付けて区別する。聖書には「七つの悪霊《あくりょう》を追い出していただいた」マグダラのマリアとあり、彼女はイエスにめぐり会って信仰にめざめるまでは、世人も驚き呆《あき》れるほど淫奔《いんぽん》な生活を送っていたらしい（マルコ伝一六章）。

別にルカ伝七章には、「この町に一人の罪深い女がいた。イエスがファリサイ派の人の家に入って食事の席に着いておられるのを知り、香油の入った石膏《せっこう》の壺を持って来て、後ろからイエスの足もとに近寄り、泣きながらその足を涙でぬらし始め、自分の髪の毛でぬぐい、イエスの足に接吻《せっぷん》して香油を塗った」とある。

罪深い女とは売春婦のこと。何事につけても形式を守ることしか知らないファリサイ派の主人が、「そんな女を近付けるとは」と非難のそぶりを見せたとき、イエスは「罪深い者であればこそ、なおいっそう、信仰によって救われる」という逆説的な教えを説く。イエスの数多い教えの中でも、とりわけ人間愛に溢《あふ》れた教えとして名高い。

聖書にはただ「一人の罪深い女」とあるだけなのに、中世の昔からこれはマグダラのマリアのことであると考えられるようになり、長い髪の毛、香油の壺、そして聖女にしてはあぶなげな、しどけない姿、つまり彼女の前身を思わせるような姿がシンボルになった。ロマネスクやゴシックの彫刻に多くの実例がある。

劇的にロマンチックにされたシナリオ

旅人を家に迎え入れたら、まず足を洗ってあげるのが礼儀なのに、ファリサイ派の主人はそれをしなかった。食事の途中、場違いな感じの女が一人、ふと入ってきてイエスの足もとにうずくまる。なんとそれは「七つの悪霊が宿る」と噂《うわさ》されている淫奔女マグダラのマリアであった。

彼女は涙をさめざめと流して、その涙でイエスの足を洗い、自分の長い髪の毛でぬぐい、イエスの足にキスし、高価な香油を惜しげもなく塗りつける。いい香りが部屋の中に立ちこめる。

みな呆れ返って、トゲトゲしい非難のまなざしを向けたのに、イエスはやさしく「あなたは信仰によって救われる。安心しなさい」といいきかせる。

この一件を契機に、淫奔女は一転してイエスの熱烈な信者になる。イエスが十字架につけられたときも、弟子たちはみな逃げてしまったのに、彼女はただ一人遠くからイエスを見守り続け、「死にまさる苦しみ」に胸張り裂ける思いをする。そしてイエスの遺骸《いがい》を拭《ふ》き清め、香油を塗ろうと、まっ先に墓にかけつける。

彼女の熱意に応《こた》えようとしたのか、死からよみがえったイエスはまず最初に彼女の前に姿を現わす。

聖書の物語をつなぎ合わせて、このように世にも劇的でロマンチックなシナリオが築かれてきた。

映画『最後の誘惑』では、十字架の苦しみの中でイエスが悪魔の誘惑を受け、マグダラのマリアと甘美な肉体関係を持つことを夢見る……というシーンが加えられた。

聖霊とは何か？　シンボルは鳩《はと》

イエスがヨルダン川で洗礼者ヨハネから洗礼を受けている光景も、よく絵画の題材になっている。

ウフィッツィ美術館にあるヴェロッキオの作品もその一つで、観光のときに必ず見る。ヴェロッキオは、絵の左端にいる少年姿の天使を弟子のレオナルドに描かせたが、その出来映えがあまりにも見事だったため、自分は二度と再び絵筆をとろうとはせず、彫刻に専念したと伝えられていることでも有名だ。

この絵の上方に描かれている二本の手は神のシンボル、鳩は聖霊のシンボルだ。「天が裂けて、聖霊が鳩のようにイエスに降《くだ》って来る」情景で、マタイ伝三章、マルコ伝一章、ルカ伝三章に出てくる。このように鳩は聖霊のシンボルであり、キリスト教の造形美術のさまざまな面に登場する。サン・ピエトロ大聖堂の最も奥の窓に表わされている「光を放つ鳩」もその一例。

父なる神、子なるキリスト、そして聖霊は三位《さんみ》一体《いったい》、つまり三つ別々の存在だが本質は一つとされている。聖霊 Holy Ghost, Holy Spirit とはいったい何なのだろうか。信仰の立場からする正式の定義はともかくとして、聖書に登場する聖霊の活動状況からみると、「神の意を受け、神の分身としてどこへでも気軽に飛んで行く存在」といえそうだ。

聖人と聖遺物崇拝

中世の民衆がひたすらおすがり申した霊験あらたかな聖人さまと聖遺物の数々

なぜ日本では知られていないのか

中世のヨーロッパでは、学僧や神学者がもっぱら論じていたむずかしい神学とは次元を異にして、民衆の間に深く根をおろしていた実際的な信仰形態では、「聖人と聖遺物」崇拝が極めて重要な役割を果たしていた。今日の観光という点からいっても、中世の宗教建築や美術は聖人・聖遺物崇拝を抜きにして語ることはできない。

一六世紀に起こった宗教改革では、聖人・聖遺物崇拝はキリスト教の本義に反するものとして、プロテスタントでは全廃された。カトリックでも、宗教改革がなぜ起こったかについて反省した結果、過度の聖人・聖遺物崇拝を戒めるようになった。

明治以後、日本に入ってきたキリスト教では、プロテスタントはいうに及ばず、カトリックでも聖人・聖遺物崇拝は取り上げなかった。そのため日本人は、たとえキリスト教信者であっても聖人・聖遺物崇拝のことはよく知らないのが普通だ。

ヘルメスの肩代わりをした聖ミカエル

聖書には書いてない（ということは初期のキリスト教にはなかった）聖人・聖遺物崇拝は、どのようにして発生したか。

キリスト教が広まっても、ずっと民衆の心に残り続けていた異教の信仰との妥協がその一因であった。例えば異教時代には、ヘルメスという神があり、「翼あるサンダルをはいて天空と冥界《めいかい》を駆け」、神々の使いとか、死者を冥土に導くといった役をつとめていた。

キリスト教の時代になってヘルメスの役をそっくり引き継いだのが大天使ミカエルだ。彼もまた翼を持って天空と冥界を駆け、神の使いをつとめ、最後の審判のときには使者の魂を秤《はかり》にかける役をする。ロマネスクの彫刻には必ずといってよいほど、この役を果たす大天使ミカエルが表わされている。

神の使いとして天から飛来するミカエルは、地上高くそびえる場所に降り立つと信じられていた。ミカエル信仰発祥の地であるアドリア海岸のモンテ・サンタンジェロ

（聖天使山）、ローマの聖天使城、フランスのモン・サン・ミッシェル（聖ミカエルの山）や、ル・ピュイの岩峰など、みなそうだ。

モン・サン・ミッシェルやル・ピュイの岩峰は、ローマ人がヘルメスと同一視していたケルト系の神の聖所だった。どちらも後に大天使ミカエルの聖所に転化された。

アフロディテの代役は聖ニコラオス

地中海世界の東部では、アフロディテが航海と船乗りの守り神として広く信仰されていた。

アフロディテ信仰は、神殿売春と深く結びつき、アレキサンドリア、コリント、シチリアのエリチェなど、港町のアフロディテ神殿には多数の「ある種の巫女《みこ》」が所属していて、お賽銭《さいせん》を受け、参詣人《さんけいにん》の一夜妻になった。

そのためキリスト教ではアフロディテ信仰を目の敵にして廃絶につとめた。しかしマジメな意味で、荒海に乗り出す船乗りや漁師には、守り神はなくてはならぬものだったから、教会側では聖ニコラオスを「船乗りの守護聖人」に仕立ててあげた。ギリシアでは、聖ニコラオスの信仰はずっと今日まで続いている。ギリシアの各地に、アイオス・ニコラオスという名の港町や漁師町がたくさんあるのはそのためだ。

ニコラオスは、四世紀に小アジアで司教をしていた実在の人物で、民衆に非常に敬愛され、死後に列聖された。列聖とは聖人の列に加える手続き、つまり聖人として公認されるための手続きのことで、聖人の濫発《らんぱつ》を防ぐため厳重な規則が定められている。同じ聖ニコラオスが、西方ではサンタクロースと呼ばれるようになり、周知のような役割を果たしている。

現世的なご利益《りやく》を求めた民衆の心

聖人崇拝が盛んになった第二の理由、そして決定的な理由は、聖人の遺骸《いがい》や持物（合わせて聖遺物という）に霊力が宿ると信じられるようになったことだ。

聖遺物は東方教会にも西方教会にもあったが、東方教会では前記のようにイコンという聖像崇拝が中心になり、聖遺物崇拝は影が薄かった。それに対し西方教会では、マリア像などの聖像崇拝も行なわれたが、それ以上に圧倒的に盛んになったのが聖遺物崇拝である。

いずれにせよ、姿なき神に向かって祈るというだけでは民衆は満足せず、形ある物、目で見、手で触れる物を欲しがったという点では、東西で軌を一にしている。

キリスト教では、殉教者や大徳の墓の上に教会を建てるという習慣が早くからあった。ローマのサン・ピエトロ、トゥールのサン・マルタン、アルルのサン・トロフィームなど、歴史の古い名刹《めいさつ》はたいていそうだ。最初は大先達の遺徳をしのんで、信仰を深めるという意味だった。

ところが時代が下ると、そういう聖人の墓に手を触れてお祈りをすると病気がなおるとか、戦いに出た夫や息子が無事に帰ってくるとか、現世的なご利益があると信じられるようになった。初めは民衆の信心だったが、やがてはそういう墓を管理している僧たちが大々的にご利益を宣伝するようになる。霊験あらたかだという評判がたてば、遠近からたくさんの参詣人や巡礼がやってきて、押すな押すなの盛況になり、お賽銭がたんまり入ったからだ。

各地で続々と聖人の遺骸を〝発見〟

そうなると「ウチでも」というわけで、至る所の有名な教会や修道院で「聖人の遺骸が発見される」に至った。

ある日、某々聖人が司教の夢枕《ゆめまくら》に立ち、「わが遺骸はどこそこにある。それを移葬してあがめよ」と啓示する。司教は恐れかしこみ、三日間断食《だんじき》して身を清め、寺僧たちを引き連れて啓示された場所へおもむいたところ、地中から霊妙な光がさしていた。

そこを掘ると、聖人の遺骸が出てきた。

かくして、聖堂に安置された遺骸はたちまち霊力を発揮し始め、足なえは立って歩けるようになり、盲人は目が見えるようになった、と。この種の縁起話を書いたものは移葬記と呼ばれ、たくさん残っている。

某々聖人の遺骸のありかを記した「古文書」が発見された、という話が作られた例も多い。新しい話より「古文書」だという方が権威がある。

同じ聖人の遺骸が二つの違った場所で「発見」され、お互いに相手の方をニセモノだと決めつけて争った例も少なくない。判定を下したのは参詣人や巡礼で、病気がたちどころになおったというような奇跡がじゃんじゃん起こった方がホンモノ、ぱっとしない方がニセモノとされた。

聖遺物の存在意義は、一にかかって現実のご利益にあったのである。

真の十字架、聖釘《せいてい》、聖血、聖骸布《せいがいふ》

いくら「発見」に努力しても、遺骸では数に限りがあり、持ち歩くこともできない。そこでキリスト、聖母マリア、その他もろもろの聖人が身につけていたと信じられる物にも、霊力が乗り移っているということになった。

この種の聖遺物の最高クラスは、キリストに関する物だ。キリストがはりつけにされた十字架の一片は「真の十字架」True Cross, Vera Cruz と呼ばれる。キリストがかぶせられた茨《いばら》の冠、手足に打ちつけられた釘《くぎ》、わき腹を槍《やり》で突かれたために流れ出た血（聖血 Holy Blood）なども、最高に尊い聖遺物だ。

もちろん、すべてがホンモノだとはとうてい考えられない。「聖血」なんて怪しいものだし、各地の聖堂に安置されている「真の十字架」と「聖釘」を全部集めると、家が一軒建つぐらいの量になる、と皮肉る学者もいる。

観光でよく行く所では次のような例がある。

ステンドグラスの美しさで知られるパリのサント・シャペルは、「聖な

リーメンシュナイダー作の祭壇。中央が「最後の晩餐」、左扉が「エルサレム入城」、右扉が「ゲツセマネの園」。上の十字架のガラス容器に「聖血」が納められている

る茨の冠」を安置するという目的のために、ルイ九世がわざわざ造営した礼拝堂だ。ローテンブルクの聖ヤコブ教会の西祭壇は「聖血」を安置するために造られ、リーメンシュナイダーの傑作として名高い。

キリストの遺骸にかけた布に、汗と脂《あぶら》でキリストの顔かたちが写ったとされていたミラノの「聖骸布」は、一九八八年に放射性炭素による年代測定が行なわれた結果、ニセ物であるという判定をカトリック教会側が自ら下した。カトリックでも現在では聖遺物などに頼らず、純粋な信仰を奨励している。民衆レベルではまだまだ聖遺物崇拝の名残りが消えてはいないが。

真偽のほども定かならぬ聖遺物

キリストもそうだが、聖母マリアも昇天したとされているため遺骸はあるはずがない。残るは身につけていた物だ。観光でよく行くシャルトルの大聖堂には、聖母マリアが着ていた衣なるものが安置されていたが、フランス大革命のときに、迷信の塊だというわけで焼かれてしまった。

大天使ミカエルも不死の身だから、前記のモンテ・サンタンジェロの洞窟《どうくつ》に残していったという「赤いマント」が聖遺物とされ、その一片が各地のミカエルの聖所に分与された。

それに対し、もともと人間だった聖人については、身につけていた物とか、遺骸の一部である腕、指、足の骨、頭骸骨などを「発見」するのは自由自在だった。一人の聖人について、全身の遺骸がA地にあるのに、その右腕とか頭骸骨とかがB地にあるというような珍妙な例も少なくない。

聖遺物を作って売るのはたいへんに儲《もう》かる仕事だから、もっともらしい聖遺物を作ることが各地で行なわれたが、中でもコンスタンチノープルが有名だった。コンスタンチノープルから招来されたというと、何となく秘密めいて、権威があったのである。

前記の「聖なる茨の冠」も、コンスタンチノープルにいたビザンチン皇帝から、ルイ九世が莫大《ばくだい》な金を払って買い取ったものだ。

「聖血」も大元はコンスタンチノープルに保管されていて、二、三滴ずつ各地に分与されたと信じられていた。さすがにキリストの血ともなると不思議なもので、いつまでたっても凝固したり腐ったりはしなかったらしい。

聖遺物箱の数々は中世工芸品の精華

今でも各地の大聖堂にはよく有料の宝物庫があって、多数の聖遺物が展示されている。日本人はあまり入らないけれども、これはまさに中世工芸品の粋を集めた宝庫だ。

聖遺物はムキ出しではなく、必ず精巧な細工を施した聖遺物箱に納められている。箱といっても形や大きさはさまざまで、大きな御堂のような形をしたものもある。腕や指の形になっていれば、中に聖遺物としての腕や指が入っている。腕や指は祝福を垂れるものとして、キリスト教では特別の意義を持っている。日本人の女性に聞かせると、「いやあん、気味が悪い」という人もいるが。

これらの聖遺物箱は、中世の石彫、木彫、金銀細工、宝石細工、エマーユ、クロワゾネ（七宝）などの精華を示している。聖遺物箱については依頼主は金に糸目をつけず、職人もまた精魂を込めて作った。大聖堂などの宝物庫は、多数所蔵している中から逸品ばかりを展示してあるので、特にその感が深い。

聖遺物崇拝をバカらしいと思うことと、聖遺物箱を優れた工芸品として見直すこととは別だ。

国、町、職業、個人にも守護聖人

聖遺物崇拝以外にも、キリスト教の実際的な信仰形態において聖人は大きな役割を果たした。

聖ジョージはイングランドの守護聖人、聖イシドロはマドリードの守護聖人、聖女チェチーリアは音楽の守護聖女、聖ルカは医師の守護聖人といったように、さまざまの分野に特定の守護聖人があった。なお、英語だと区別がつかないが、大陸の諸言語では語尾変化によって聖人に男女の別をつけている。それを日本語で表現するため、女性の聖人には聖女というタイトルを冠するのが、日本での習慣になっている。

個人にも守護聖人がある。例えば、ピーターという名の人は聖ペトロが守護聖人だ。ギリシアでは自分の誕生日よりも、自分の守護聖人の日の方を盛大に祝う。教会暦というものがあり、それぞれの聖人の日はちゃんと定められている。

聖人の間には一種の分業もある。例えば火事になったとき、大事に至らずに消して下さるのは聖フロリアン。この聖人の像はよくバケツを手にしている。交通事故から守って下さるのは聖クリストフ。この聖人は小アジアの出であるが、ドイツではライン川の渡し守りと考えられていて、必ず太い杖《つえ》を手にしている。

キリスト教は一神教であるはずなのに、これはどうしたことか。神学者は、「聖母マリア、大天使ミカエル、その他もろもろの聖人におすがり申すと、その願いを天にましまス神様に取り次いで下さるのだ」と、巧みな理論構成を行ない、一神教の教義に矛盾が生じないようにした（三位《さんみ》一体《いったい》説によりキリストは神と一体）。

しかし、民衆はそんな神学理論にはおかまいなしに、聖母マリアや聖人たちに祈りを捧《ささ》げた。今でも金銀珠玉で飾りたてられ、民衆の熱烈な信仰を集めているマリア像や聖人の像はいくつもある。

司教、司教領、チャペル

なぜ司教が一国の君主として権勢をふるい豪壮な城や宮殿を構えるようになったか

司教、大司教、ローマ法王

ヨーロッパの歴史と最も関係が深かったローマ・カトリックについていえば、教会組織の地理的な基本単位は司教区である。各司教区には司教（英語ではBishop）がいて、司教区内にあるすべての教会を監督し、宗務を統轄《とうかつ》している。司教の上に大司教（英語ではArchbishop）がいるが、これは司教の中で特に優越した地位を認められているものにほかならない。大司教も広い意味での司教のうちに入る。

カトリック教会の建前では、ローマ法王もまた司教の一人であり、多数の司教の中の第一人者であるとされている。なおカトリックではローマ法王のことを教皇《きょうこう》さまと呼んでいる。

Bishop を僧正、Archbishop を大僧正と訳すことがあり、文学的な表現としてはこの方がぴったりしている場合が多いようだ。しかし仏教でいう僧正、大僧正は属人的な称号であって、同じ地域に何人いてもかまわないのに対し、司教は属地的な地位であって、一つの司教区には一人しかありえない。

カテドラル、教区教会、司祭

《建築・美術工芸》編の建築のところで詳しく説明するように、司教が在任している教会をカテドラルという。したがってカテドラルは各司教区に一つしかない。

司教区の下には多数の教区があり、それぞれ教区教会があって、司祭がいる。われわれが目にする教会のほとんどはこの教区教会だ。普通は、一つの町や村が一つの教区になっているが、大きな町は複数の教区に分かれている。教区教会や司祭は住民の日常生活と密接な関係にあるため、教区にはおのずから適正規模がある。

それに対し、司教区は多分に歴史的な由来で決まっており、大きい司教区と小さい司教区とのバラツキが激しい。

混乱の時代に頼りにされた司教

古代末期には、ゲルマン民族大移動と西ローマ帝国滅亡の混乱に伴い、地方の軍事・行政組織がまったく壊滅してしまった。組織らしい組織として残ったのは教会だけだった。そのため町の自衛、治安維持、食糧確保、あるいは侵入してきたゲルマン人との交渉など、地域住民のための差し迫った問題をどうするかということで、教会が大いに頼りにされた。

司教は、その地域では最高の宗教的な権威を認められていたから、何事につけリーダーシップをとるには適任者だったのである。またその頃から既に、司教はほとんどが地域の名門や豪族の出身であったから、武力を必要とする自衛隊を組織するというようなことについても、司教はとりまとめ役として適任であった。

このように司教が、宗教に関することばかりではなく、地方行政についてまで支配力をふるうという伝統は、混乱の時代が終わってからも長く尾を引いた。

司教は俗人の家臣よりも重宝がられた

特にドイツでは、封建諸侯が国王の支配権に服さず、自立する傾向が強かったため、国王は国王領の地方行政を俗人の家臣にゆだねないで、司教にゆだねるケースが多かった。

国王領の地方行政を任されている者をグラーフ（伯）と呼んだが、封建時代のことて、その地方の徴税、軍事、裁判などを含む大きな権力を持っていた。俗人のグラーフは、父から子へと地位を伝えていくうちに、次第に国王の支配権をはねのけ、自立することが多かった。それに対し、司教は独身が建前であり、たとえ子がいても、父から子へと地位を継がせることはできなかった。司教が死ぬと、そのつど国王によって新しく司教が任命された。そのため国王の支配力が強く及んだ。

国王が、俗人の家臣よりも司教をグラーフの地位につけたがった理由は、そこにある。グラーフは、軍勢を引き連れて国王の下にはせ参じる義務があったが、当時の司教には剛の者が多く、そんなことはへっちゃらだったのである。

独立国のようになった司教・大司教領

イギリス、フランス、スペインなど、国王による中央集権が確立した国々では、司教の世俗的な権力は次第に廃止されてしまった。ところがドイツ（神聖ローマ帝国）では、国王（神聖ローマ皇帝）が選挙制になったせいもあって、諸侯はほとんど独立国のような状態になった。グラーフであった司教も、最初の頃はともかく、後には独立国の君主のような状態になった。こうしてドイツ（神聖ローマ帝国）独特の司教領、大司教領が生まれた。

かつては神聖ローマ帝国の一部だったオーストリアのザルツブルク、ベルギーのリエージュ、ドイツのボン、トリーア、ヴュルツブルク、バンベルク、パッサウなどは観光でよく行く所であるが、そこには君主であった大司教や司教の豪壮な城、宮殿などがある。それも一つや二つではなく、領内にいくつもの大きな城や、華麗な宮殿が残っていることも珍しくない。

ザルツブルク大司教の城と城下町

大司教や司教といえばキリスト教の坊さんであるはずなのに、なぜこんなすごい城や宮殿を持っていたのか、日本人には理解しにくいことである。

ナポレオンが強権をふるって取り潰《つぶ》す

これらの大司教領や司教領は、フランス大革命とそれに続くナポレオンの時代に次々に取り潰された。フランス革命軍は「坊主《ぼうず》が土地人民を支配

トリーア大司教の宮殿

しているのはけしからん」というわけで、トリーア大司教領やリエージュ司教領を攻略し、フランスに合併してしまった。

ナポレオンもその政策を受け継ぎ、残りの大司教領、司教領をすべて取り潰して、自分の息のかかっている世俗の君主国に合併させたり、フランスに合併したりした。ナポレオンが没落したあと、フランスに合併されていた旧リエージュ司教領はオランダ王国を経てベルギー王国に編入され、旧トリーア大司教領、旧ケルン大司教領などはプロイセン（プロシャ）王国に編入された。

中世の遺物ともいうべき大司教領や司教領はナポレオンが大なたをふるった時点ですべて消滅し、あとには城や宮殿だけが残ったわけである。一国の君主として威張り散らし、ぜいたくの限りを尽くしていた大司教や司教は、その後は単なるお坊さんにされてしまった（もちろんお坊さんとしての地位は高いのであるが）。

彼らは城や宮殿から追い出されると決まったとき、あさましいばかりに強欲ぶりを発揮し、あらん限りの金銀財宝を掻《か》き集めて召使たちに運び出させたと伝えられている。

教会とは由来が違うチャペル

ここでチャペル（礼拝堂）のことを付記しておこう。チャペルには二種類ある。

一つは城、宮殿、病院、学校などの内部に設けられ、主として部内者が使うための礼拝の場である。教会が広く一般のための礼拝の場であるのに対し、こちらは私的な性格を持っている。

もう一つは、大きな教会の内部に区画を設けて造られたチャペルである。側廊とか周回廊（教会の最も奥にある半円形の廊）に沿って、よくこの種のチャペルが並んでいる。これも日本では礼拝堂と訳されているけれども、独立した建物ではないから、日本語の礼拝堂という語感とはだいぶズレがある。

この種のチャペルの多くは、権門勢家が教会のスペースをぶんどり、一門のための私的な礼拝の場として造ったもの。今では公共のものになり、権門勢家の名はチャペルの名称にだけ残っている。

クリスマスとエピファニー

クリスマス前後から一月六日まで続くキリスト教国独特の伝統行事の数々

年末年始の旅では現地の休みの日に留意

まとまった休みを取りやすいため、年末年始にヨーロッパへ出かけるという人はたいへん多い。ヨーロッパでも一二月二五日から一月六日までの間は日曜のほかに祭日が四つもあり、それらの日には商店なども全休になるので、うまく計画を立てておくことが大切だ。

クリスマス・イヴに教会へ行き、クリスマスの朝も教会へ行ってから、一家揃《そろ》ってお祝いの午餐《ごさん》をするのがヨーロッパ人の習慣だから、クリスマスといっても街は静かなもの。広場に大きなクリスマスツリーが飾られていたり、教会の中や広場などにイエス降誕の情景を表わす飾りつけがあったりすることで、ようやくクリスマスの気分が味わえる程度である。

二五日は商店はもちろん、美術館、博物館、歴史的建造物、古代遺跡などもすべて休みである。二六日は商店は休みだが、美術館などは開くところが多い。二七日から三一日まではだいたい平常通りだが、美術館などは三一日の午後は休みというところもある。

大晦日《おおみそか》の夜はドーンと陽気に

三一日の夜は「サン・シルヴェストルの夜」と呼ばれ、多くのホテルやレストランでは夜を徹してのパーティがある。ホテルでこのパーティがあると、通常の夕食は出ないこともあり、その場合は外のレストランへ行くしかない。もちろん予約さえしておけば、誰でもホテルのパーティに参加できる。

パーティでのディナーがすむのは一一時半頃。クライマックスに達するのは午前○時で、全室の明りが消えてまっ暗になり、次にパッと明りがついたらいよいよ新年だ。クラッカーが鳴り、シャンペンで乾杯が行なわれる。この全室がまっ暗になった瞬間には、誰が誰にキスをしてもかまわないという習慣があるので、チャーミングな女性はご用心を。あとは飲めや歌えや踊れやの陽気な騒ぎが三時、四時まで続く。

スキー・リゾートでは元気のいい人たちばかりの集まりだけに、サン・シルヴェストルの夜のパーティはことのほか賑《にぎ》やかだ。

日本人観光客の中でも年配の人たちは、クライマックスが一応すんだ午前〇時半頃に引きあげることが多いようだ。

元日、そして一月六日も祭日

元旦《がんたん》の三時、四時まで陽気に騒いだ後は、もっぱら寝正月というのが普通だ。

商店は全部休みで、飲食店もこの日ばかりは休みの所が多く、街は火が消えたようになる。美術館、博物館、歴史的建造物、古代遺跡などもすべて休みだから、一月一日は観光客泣かせの日である。

その代わり二日からは平常に戻る。

日本人がうっかりしがちなのは、一月六日がエピファニーと呼ばれる祭日で、商店はまたまた全部休みだということ。その間に日曜日がはさまったりすると、買物できる日が意外に少ない。ちょうど年末年始の旅が最終段階にさしかかり、買物の総仕上げをしたい頃なので、急に「明日は休みです」といわれたりしたら困ってしまう。

一二月二五日から一月六日までの間に四回の祭日のほかに日曜日も一、二回はさまることを念頭において、どこで何をするかという計画をよく練っておくことが、年末年始の旅をいっそう楽しくするためのコツである。

太陽新生の日をクリスマスに制定

クリスマスはイエスの誕生日ということになってはいるが、実はイエスの生年月日についてはまったく記録がなく、分からないというのが正しい。当時は帝王や貴顕の子でない限り、出生についての記録はないのが当たり前であった。

キリスト教が盛んになってから、各地でキリストの誕生を祝う行事が自然発生的に始まったが、その日取りは一月六日とする地域が多かったほかは、必ずしも一定していなかった。三二五年小アジアのニケアで開かれた宗教会議の後、初めて一二月二五日をキリストの誕生日とすることが定められたのである。

一二月二五日は、冬至をすぎて太陽が再び少しずつ勢いを増し始める日であり、古来いろいろな民族がこの日を「年の始め」「新生の日」として祝っていた。

ペルシャ起源で太陽神をあがめるミトラ教が、その頃ローマ帝国の全域に広がっていたが、ミトラ教でも一二月二五日を太陽新生の聖日としていた。キリスト教もそれにならい、キリストを太陽に見立てて、一二月二五日を「新生の日」と定めたのでは

ロマネスクの彫刻「眠っている三博士をおこし、星を指差す天使」。オータンの大聖堂

ないかといわれている。

一月六日は救世主が世に現われ出た日

われわれが今使っている暦は、元をただせばローマ帝国の暦である。初期のキリスト教徒たちはローマ暦の一月一日を天地創造の日と考え、旧約聖書の冒頭に書いてあるように「神は天地創造の日から六日目に人間をお創《つく》りになった」として、人の子イエスの誕生日を一月六日と考えたのであった。

後にイエスの誕生日が一二月二五日と定められると、一月六日は「聖母マリアが幼子イエスを初めて人々に拝ませた日」であり、さらに三〇年後に「イエスがヨルダン川でヨハネから洗礼を受け、初めて人々に教えを説く生活（公生活という）に入った日」とされるようになった。

この日をエピファニーと呼ぶのは、ギリシア語で「現われ出《い》でる」という言葉に由来しており、日本では顕現日あるいは顕現節と訳している。カトリックでは「御公現の祝日」という。

マタイ伝に書いてあるように、東方の三人の学者（文語訳では博士）が星に導かれて救世主の誕生を知り、ベツレヘムまで旅してきて馬小屋で幼子イエスを拝したのは、一月六日のこととされている。

ドイツ語圏ではいつの間にか「三人の学者」が昇格して「三人の王様」になり、ドライ・ケーニゲと呼ばれている。南ドイツやアルプス地方の村々では、一月六日に四人の青年が「星と三人の王様」の扮装《ふんそう》をして、小さな子供のいる家々を回り、お菓子を配って歩く伝統行事が残っている。

一時はこの伝統行事も消えかけていたのだが、アルプス地方の村々にたくさんのスキー客がやってくるようになってから、また復活しつつある。

昔は親が「よい子」に秘《ひそ》かに贈り物をするのも、クリスマスではなくてこのドライ・ケーニゲの日であった。

そうしてヨーロッパ中どこでもいっせいにというわけではないが、商店街でも一般家庭でもクリスマスの前に作った特別の飾り付けを、一月六日を境に取り外すという所が多い。クリスマスに先立つ約四週間はアドヴェント（待降節《たいこうせつ》）と呼ばれ、教会でも一般家庭でも昔から決まりになっているいろいろな行事があり、クリスマス気分がだんだんと盛り上がってくるのであるが、そういう楽しいお祝い気分も一月六日をもって区切りがつけられる。子供たちの学校のクリスマス休暇もこの日で終わる。

ギリシア各地では水祭り、港祭り

ギリシアでは一月六日に全国各地で水祭り、港祭りが行なわれる。神父さんが十字架を祝福して川や湖、海に投げ込むと、若者たちがザンブザンブと水に飛び込み、水底からその十字架を拾いあげるのが、祭りのクライマックスだ。

復活祭を中心とする移動祭日

シュロの日曜日、受苦日、キリスト昇天節、聖霊降臨節、コルプス・クリスティなど

びっくり仰天〝今日は祭日です！〟

ヨーロッパへ何回も行ったことがある人なら、一度はこういう体験をしているのではなかろうか。

ある朝ホテルから外へ出てみたら、街全体が妙に静まり返っていて、人通りも車もいたって少ない。変だなと思ってホテルの人に聞くと、「何を今さら」といいたげな顔つきで「今日は祭日です」といわれた。

ホテルの人や欧米人の旅行者にとってはキリスト教の祭日は自明のことであり、誰もが前々から予期していることでもあるので、事新しく「明日は祭日ですよ」と触れまわったりはしない。「知らぬは日本人の旅行者ばかりなり」で、ある朝突然、青天

のへキレキのように祭日がやってくるというわけ。

私も若い頃インスブルックのホテルで、突然「今日はコルプス・クリスティでどこもかも休みです」といわれた苦い思い出がある。よく晴れた初夏の朝だったが、一瞬あたりがまっ暗になったような気がしたことを、今でもよく覚えている。以来、私は祭日の日取りにはよく気を付けるようになった。

〝現地でガッカリ〟では遅過ぎる

日本の旅行会社はたいていキリスト教の祭日、ことに移動祭日についてはまったく無関心である。祭日で商店はみな休みなのに、旅程には「午後は自由行動、ショッピングをお楽しみ下さい」と書いてあったり、大祭日で博物館や遺跡などもみな閉まっているのに、「歴史に名高いA遺跡を訪ねてから、古代文化の宝庫であるB博物館へ」などと書いてあることは珍しくない。同じパターンで年間に何十本も設定されているようなツアーでは特にそうだ。

そういう細かい点にまで神経をゆき届かせているのは、ごく少数の熱心な旅行会社に限られるというのが現状である。旅行者が自分でよく気を付けて、対策を考えるほかない。

曲者《くせもの》は毎年日取りが変わる移動祭日

クリスマス、エピファニー、聖母被昇天節（八月一五日）、万聖節（一一月一日）のように、日取りが一定しているものを固定祭日という。それに対し、復活祭を中心として毎年日取りが変わるものを移動祭日という。

ここでお断りしておかねばならないが、同じくキリスト教国であっても国によって祭日の取り方が違うことがある。例えば聖母被昇天節や万聖節はカトリック諸国では祭日だが、プロテスタント諸国では祭日ではない。プロテスタントは聖母マリア信仰や聖人信仰を廃絶してしまったからだ。クリスマス、エピファニー、復活祭、聖霊降臨節などは、どのキリスト教国でも必ず祭日である。

さて、問題はわれわれ日本人には馴染《なじ》みの薄い移動祭日である。固定祭日については各国別のガイドブックを見ると、何月何日というふうにちゃんと出ているが、移動祭日については何月頃というぐらいにしか書いてない。毎年日取りが変わるので、書きたくとも書けないのである。

幸いに移動祭日があるのは三月末頃から六月頃までに限られているため、その時期にヨーロッパへ行く場合にだけ、気を付ければよい。

復活祭のあたりは旅行者の受難の季節

移動祭日の原点になるのは復活祭で、その日取りは「三月二一日以降の満月の後の最初の日曜日」と定められている。満月が日曜日とぶつかる場合は、その次の日曜日が復活祭だ。

なぜこんな回りくどい方法で復活祭の日取りが決められるのだろうか。イエスはユダヤ人の大祭である過越《すぎこし》の祭りの前日（金曜日）に十字架につけられ、三日目の日曜日によみがえった（復活した）とされている。それを現行の暦に直すと、右のような計算方法になるのだそうだ。

そのため復活祭の日取りは毎年変わるわけで、例外的に早い年で三月末頃、普通は四月にある。そのほかの移動祭日はすべて復活祭から何日目というふうに定められており、復活祭につれて毎年日取りが変わる。

復活祭はクリスマスと肩を並べるキリスト教の大祭日であり、どのキリスト教国でも美術館、博物館、歴史的建造物、古代遺跡などすべて休みである。

商店は復活祭を中にはさんで四日間の飛び石連休になる。復活祭の前の金曜日、つまりイエスが十字架につけられた日は受苦日 Good Friday と呼ばれる祭日であり、復活祭の次の日も復活祭月曜日 Easter Monday と呼ばれる祭日だからである。

そういうわけで復活祭のあたりにヨーロッパを旅行するときは、よく考えて日程を組んでおかないと、肝心のお目当てのものが見られなかったり、祭日続きで何も買えなかったりというようなことになりかねない。

正教の復活祭は日取りが違うことも

ギリシア正教の復活祭の日取りは西方教会のそれとは違うことがある。ギリシア正教独自の計算方法を取っているからだ。

ギリシアでは復活祭は年間を通じて最大のお祭りである。商店は復活祭を中にはさんで金曜日から月曜日まで、よその国では飛び石連休だが、ギリシアでは完全に四日間の連休になる。土曜日は祭日ではないのだが、実際問題としてほとんどの店が休んでしまうからだ。

ギリシアの旅では古代遺跡や博物館の占めている比重が極めて大きい。せっかくギリシアへ行ったのに、「ギリシア正教独自の復活祭」とぶつかって何も見られず、翌日はもう次の目的地へ向けて出発というのでは、残念無念ではないか。

現地へ着いてから、復活祭のためアクロポリスへは入れないことを知らされた添乗員が、やむを得ずバスで旅客をフィロパッポスの丘へ連れて行き、たまたま旅客の一人が持っていた双眼鏡で代わる代わるパルテノン神殿を眺めることにしてもらったという、ウソのようなホントの話がある。

ロシア、ウクライナや東欧のギリシア正教圏では、キリスト教の祭日は必ずしも国民の祝日ではないけれども、民間行事としての復活祭のお祭りはいろいろな形で行なわれており、観光とも大いに関係がある。その日取りは、ギリシアの場合とまったく同じだ。

無病息災を願う緑葉のついた枝

復活祭の前の日曜日は「シュロの日曜日」Palm Sundayと呼ばれ、移動祭日の一つ。しかし、いずれにしても日曜日だから買物などの予定に直接の影響はない。

この日に南欧を旅していると、子供たちが手に手に緑葉のついたオリーブの枝を持って、教会から出てくるのを目にする。地域によってはオリーブではなく、ほかの緑樹の枝を使う。これらの枝は「シュロの日曜日」を記念して、教会で祝福を受けたもの。一家の無病息災のお守りだと考えられ、家の中に飾ったり、戸口やベランダの上に打ちつけたりしておく。その気になってよく見ると、すっかり枯れてしまった枝が商店やレストランの中とか、一般の家の外側に掲げられているのに気がつく。

このようにして枯れ果てた枝は、翌年の「シュロの日曜日」にまた教会へ持って行き、新しく緑の葉のついた枝をもらってくるわけである。

エルサレム入城と〝シュロの日曜日〟

このゆかしい行事は、イエスが死の五日前に民衆の歓呼に迎えられながら、エルサレムに入ったときの故事に由来する。

マタイ伝二一章では、次のように述べられている。

「弟子たちは行って、ろばを引いて来て、その上に服をかけると、イエスはそれにお乗りになった。大勢の群衆が自分の服を道に敷き、また、ほかの人々は木の枝を切って道

「シュロの日曜日」に教会でオリーブの枝をもらってきた子供たち（イタリア）

に敷いた。そして群衆は、イエスの前を行く者も後に従う者も叫んだ。

『ダビデの子にホサナ。主の名によって来られる方に、祝福があるように。いと高きところにホサナ』

イエスがエルサレムに入られると……」

この情景は「イエスのエルサレム入城」と呼ばれ、多くの絵画、彫刻やステンドグラスの題材になっている。

右のようにマタイ伝では単に「木の枝」となっているが、ヨハネ伝にある同様の記述では「シュロの枝」になっており、ここから「シュロの日曜日」の名が生まれた。

しかしシュロの木はどこにでもあるわけではないので、南欧ならどこにでもあって、しかも昔から生命のシンボルとされてきたオリーブの枝で代用するようになった。

聖週間セマーナ・サンタの大行列

「シュロの日曜日」から復活祭に至る一週間を聖週間 Holy Week という。カトリック諸国での復活祭の行事として最も華やかなのは、この聖週間の行列であろう。

スペインでの聖週間（セマーナ・サンタ）の行事はことに名高く、わけてもセビリヤの行事は圧巻だ。三角のトンガリ帽子で頭から肩までをすっぽりと覆《おお》い、目だけをキョロッとのぞかせて、その下は地面まで届く長衣という異様ないでたちの人々に続き、聖母子像、十字架のキリスト像、聖人の像などが、輿《こし》に乗って教会から出発し、街中を練り歩く。

輿といっても、大きいのは二〇人ぐらいでかつぐ巨大なもの。輿ではなく、豪華に飾りつけられた山車《だし》に聖像を乗せて練り歩くことも多い。

セビリヤに次いで、コルドバ、グラナダ、マラガなど、アンダルシア地方ではどこでもセマーナ・サンタの行列が盛んだ。大きな町ばかりではなく、小さな村でもそれぞれに趣向を凝らして行列をするので面白い。この間、世界中から見物人が集まってくるため、アンダルシア地方のホテルはどこも超満員になる。

キリストがオリブ山から天に昇った日

復活祭から四〇日後の木曜日はキリスト昇天節 Ascension Day である。ウィークデーに突然やってくるという感じなので、非キリスト教徒としてはよく注意していなければならない移動祭日の一つ。

イエスは後に残した弟子たちのことが心配だったのか、復活した後も四〇日間は天に昇らないで地上にいたわけである。その間にマグダラのマリアや弟子たちの前にたびたび姿を現わして、自分が死からよみがえったことを明らかにした。

なお、イエスが昇天したと伝えられる所はエルサレムのオリブ山にあり、小さな御堂が建っている。よほど強く地面を蹴《け》ってジャンプしたらしく、岩に足跡が凹《くぼ》みになって残っている。

このキリスト昇天の情景も非常に多くの宗教美術に題材を提供してきた。

聖霊がイエスの弟子たちに降《くだ》った日

復活祭から五〇日後の日曜日は、聖霊降臨節 Whitsunday または五旬節（ペンテコステ）Pentecoste と呼ばれる移動祭日で、キリスト教ではクリスマスと復活祭に次いで重視されている。その次の日も聖霊降臨節月曜日 Whitmonday と呼ばれる祭日で、こちらはウィークデーだから注意しなければならない。

五旬節はもともとユダヤ人の祭りで、新穀を神に捧《ささ》げ、豊作を神に感謝する日であった。旧約聖書のレビ記二三章に、「(過越の祭りの日から）七週間を経た翌日まで、五十日を数えたならば、主に新穀の献《ささ》げ物をささげる」とある。

イエスの弟子たちはユダヤ人だったから、当然ユダヤ人の祭りとしての五旬節を祝っていたのだが、そのとき突如として奇跡が起こった。新約聖書の使徒言行録二章は次のように語っている。

「五旬祭の日が来て、一同が一つになって集まっていると、突然、激しい風が吹いて来るような音が天から聞こえ、彼らが座っていた家中に響いた。そして、炎のような舌が分かれ分かれに現れ、一人一人の上にとどまった。すると、一同は聖霊に満たされ、〝霊〟が語らせるままに、ほかの国々の言葉で話しだした」

イエスの弟子たちはみなガリラヤ出身の田舎者ばかりなのに、急にペルシャ、メソ

エル・グレコの「聖霊降臨」。弟子たちの頭上に「炎のような舌」と、聖霊のシンボルである鳩が描かれている

ポタミア、カパドキア、フリギア、エジプト、リビア、ローマ、クレタ、アラビアなどの言葉でしゃべり始めたので、それらの地域からエルサレムにきていた人たちは、みな呆気《あっけ》にとられてイエスの弟子たちを眺めた、という記述がそれに続く。

この奇跡があってから、五旬節はユダヤ教とはまったく別の意味で、キリスト教の大祭日になったのだ。それは、キリスト教が民族の壁を越え、いろいろな言語の壁を克服して、広く宣布されることを象徴している。

同じ祭日のことを五旬節（ペンテコステ）といったり聖霊降臨節といったりするのはそのためで、前者はユダヤ教から引き継いだ名称、後者はキリスト教での新しい意義に照らして生まれた名称である。なお、聖書の新共同訳では右に引用したように五旬祭となっているが、この本では慣用にしたがって五旬節ということにした。

木曜日にあるコルプス・クリスティ

聖霊降臨節の次の日曜日は「三位《さんみ》一体《いったい》の日曜日」Trinity Sunday と呼ばれる移動祭日だが、これは日曜日だけのことだから旅行に影響はない。

問題はその次の木曜日で、コルプス・クリスティ Corpus Christi と呼ばれる移動祭日。「キリスト聖体の祝日」ともいう。ラテン語でコルプスは身体《からだ》、クリスティはクリストゥスの所有格である。この日はカトリック地域では休日で、商店は全休だから、留意しておく必要がある。プロテスタント地域では平常通りだ。

所によっては、コルプス・クリスティに行列が行なわれ、観光名物になっている。時期は五月末頃か六月。ヨーロッパが最も美しい季節だ。野にも山にも、そして町にも、若緑が溢《あふ》れ、色とりどりの花が咲く。

ふだんは教会の奥のうす暗い所に安置されているキリストの像も、この日ばかりは若者のかつぐ輿に乗って外に現われ、祭服に威儀を正した司祭や、真っ白い服で身を粧《よそお》った少年少女合唱隊を引き連れて、教区の中を街から街へ、村から村へと練り歩く。大人たちも、晴着や民族衣装を着飾って行列に従う。合唱隊が聖歌を歌いながら行くのに邪魔にならないように、はるか後方から大人たちの陽気なブラスバンドがついて行くこともある。初夏の陽光は燦々《さんさん》と降り注ぎ、写真にも絶好だ。

コルプス・クリスティの行列は、町により村によって華やかさに大きな違いがある。旅の途中でコルプス・クリスティに際会したら、前夜にホテルの人に聞くと、その近辺で最も華やかな行事をする所を教えてくれる。

行事は伝統になっていて、毎年同じように行なわれるから、どこの行列はどんな様子か、土地の人ならみな知っているわけである。

大斎《たいさい》とカーニバル

肉食を断って精進に入る前に、大いに飲み食いして陽気に騒ごうというカーニバル

〝灰の水曜日〟と四〇日間の大斎

「主の日」である日曜日を除き、復活祭から遡《さかのぼ》って四〇日間を四旬節または大斎Lentという。

イエスが公生活（人々に教えを説く生活）を始めるに当たって、まず最初にヨルダン川でヨハネから洗礼を受け、次いで荒野で四〇日間断食《だんじき》したことをしのび、キリスト教徒たる者はみなこの大斎の四〇日間は精進潔斎して、復活祭を迎えるというのが趣旨である。

日曜日を除いて四〇日間というと、復活祭から遡って七週目の水曜日が初日になる。この日は「灰の水曜日」Ash Wednesdayと呼ばれ、灰をかぶって罪を懺悔《ざんげ》し、精進

潔斎に入るべき日とされている。

精進潔斎をするかどうかはともかくとして、大斎期間中は結婚式などの祝い事をしないという習慣は、キリスト教国に根強く残っている。信心深い家庭では古式を守って、大斎期間中は肉食を最少限度におさえる。ただし魚はいくらでも食べてよいことになっており、仏教でいう精進料理とはだいぶ違う。

カーニバルの絶頂はマルディ・グラ

大斎に入る直前に各地でカーニバルが行なわれる。復活祭から逆算すると、だいたい二月頃になる。

ニースなどのカーニバルは、今では十数日間も続く長い行事になっている。しかしそういうのは例外的で、たいていの所のカーニバルは「灰の水曜日」の前週の木曜日が前夜祭だ。そして金曜日から日曜日まで踊りぬき、月曜日にちょっと中休みをして、「灰の水曜日」の前日の火曜日に最高潮に達する。ニースのように長く続く場合でも、この火曜日が打ち上げであることに変わりはない。

フランス語でこの火曜日をマルディ・グラ Mardi Gras という。マルディは火曜日、グラは「脂《あぶら》っこい」とか「肉食を許されている」といったような意味だ。

翌日は「灰の水曜日」なのだが、今では「踊り疲れと二日酔いの水曜日」というのが実情。「灰をかぶってザンゲ」する代わりに「シャワーをかぶってヒルネ」というのが落ちである。

起源はローマ時代の農業神の祭り

カーニバルの語源はラテン語で「肉食を止《や》める」「肉にサヨナラをする」という意味の言葉。別名は謝肉祭である。

元来はローマの農業神サトゥルヌスの祭りであったが、後にキリスト教に取り入れられたのだ。本来キリスト教には賑《にぎ》やかな祭りが一つもなかったから、こういう異教に起源を持つ陽気な祭りをどんどん取り入れて、民衆の間でキリスト教の人気を高める手段にしたのである。

ヨーロッパでは、ニースのほか、ライン川中流地方や、ベルギーのバンシュのカーニバルが盛大なことで名高い。そのほか、わりに小規模なカーニバルなら各地で行なわれている。

昔はローマのカーニバルが非常に盛大なことで知られていた。ゲーテの『イタリア紀行』、アンデルセンの『即興詩人』、レスピーギの交響詩『ローマの祭り』などで、それぞれ違った角度からローマのカーニバルのありさまが描かれている。『即興詩人』の叙述はことに生き生きとしていて、これを読むと自分がカーニバルの賑わいの中にいるような気がしてくる。

そのローマのカーニバルも、イタリア再統一にあたって一八七〇年にイタリア王国軍がローマを占領したとき、王国政府とローマ法王とのあいだに生じた確執から、禁止されてしまった。それ以前からプロテスタント地域では、カーニバルはキリスト教信仰の本旨にそぐわないということで、行われなくなっていた。今でもカーニバルの習慣が残っているのは、ローマ以外のカトリック地域とごく一部のギリシア正教地域である。

聖母被昇天節、万聖節、堅信礼

菊の花が墓地に満ち溢《あふ》れる万聖節、万霊節
七五三を思わせる堅信礼の子供たち

八月一五日は聖母マリア被昇天節

これまでに説明したもののほか、一国あるいは一地方だけで行なわれるキリスト教関係の祭りはまだたくさんあるが、カトリック地域全般にわたる祭りとしては聖母マリア被昇天節、万聖節、万霊節がある。

聖母マリア被昇天節 Assumption of the Virgin は、八月一五日に行なわれる。聖母マリアが天にあげられたと信じられている日を記念して、どの教会でも盛大なミサがあり、商店は全休になる。

ただしプロテスタント地域では平常通りである。プロテスタントは聖書にも根拠のないマリア崇拝に反対する立場をとっており、このような祭りは行なわないからだ。

一一月初めの万聖節と万霊節

万聖節 All Saints' Day は一一月一日で、カトリック地域では休日である。キリスト教の歴史において数多く出現したすべての聖人たちの徳を追慕する日とされている。翌二日は万霊節 All Souls' Day と呼ばれ、故人となったすべての信者たちを追慕する日。休日ではないが、前日に引き続いて教会や各家庭でいろいろな行事が行なわれる。

この両日は、ちょうど日本のお盆のような感じだ。亡《な》くなった家族や先祖の霊が家に帰ってくる日と考えられており、ろうそくをともし、香をたき、ご馳走《ちそう》をつくってお迎えをする習慣が残っている。後はそのご馳走で家族揃《そろ》っての会食になる。

また菊の花をたくさん持ってお墓参りをする。そのためどの墓地も菊の花で溢れんばかりになり、たいへん見事だ。ちなみにキリスト教国では菊は霊前や墓前に捧《ささ》げる花とされており、そのほかの場合にはあまり使わない。

なお万聖節や万霊節は、遠い昔の異教時代に行なわれていた祖霊迎えの祭りが、形を変えてキリスト教に取り入れられたものだといわれている。

日本の七五三を思わせる堅信礼

ヨーロッパを旅していると、日曜日やキリスト教の祭日に、かわいい花ヨメ、花ムコのような服装をした子供たちを見かけることがよくある。教会で堅信礼 Confirmation を受けてきた帰りである。

キリスト教では、洗礼を受けるまではキリスト教徒ではないとされており、もし洗礼を受ける前に死亡したら天国へは行けないと信じられている。そのため、赤ちゃんが生まれたらなるべく早い機会に教会へ連れて行って、洗礼を受けさせる。これを幼児洗礼というが、なにしろ幼児では教理を理解できるはずがないので、小学校の上級生になった頃、改めて教会で信仰箇条を教えてから、堅信礼を施すことになっている。

堅信礼は立派な大人になるための一里塚と考えられており、子供たちの家庭では、近しい親族や友達を呼んでお祝いをする。

われわれも堅信礼を受けてきた子供たちの写真をとらせてもらうときには、付き添っている両親に向かって「おめでとうございます」といったり、ニッコリほほえんで頭を下げたりして、祝意を表わすべきだろう。

北国の春祭りと五月祭

山や川、森や泉、奇岩や大樹、畑などに善悪さまざまの精霊が宿ると信じられて

ケルト人やゲルマン人の風習を今に

キリスト教よりはるかに古い時代のケルト人やゲルマン人の習俗を今に伝えている行事として、アルプス以北の国々でいろいろな形で行なわれている春祭りがある。

四月初めの月曜日にチューリヒで行なわれる春祭りもその一つ。広場に柴《しば》の束を山のように積み上げ、その上に「冬」の象徴である巨大な張り子の雪男ベークをのせる。時代祭よろしく、さまざまの古風な服装で行進してきたギルドの代表が、馬に乗って広場を駆けめぐる中、柴の山に火がつけられ、雪男は炎上する。

北国の冬は暗く長く、寒さは厳しい。昔の人々は冬になるといろいろな妖怪《ようかい》や悪《あく》霊《りょう》がやってきて人に災いをもたらすと信じていた。冬が終わろうとする頃、盛大に火

を燃やし、雪男を焼くのは、冬の悪魔を追い払い、牧草や果樹や穀物が豊かに生育する夏を迎えようという人々の願いの表われであった。

冬の悪魔を払い夏の実りを呼ぶ春祭り

同じ趣旨の祭りは方々にあるが、スイス東部からチロル地方にわたる山里には古来の風習が最も純粋な形で伝えられている。

日本のナマハゲを思わせるような奇怪な仮面や、鏡をはめ込んだ大きな仮面をつけたり、カウベルや鍋《なべ》などをガンガン叩《たた》き鳴らしたりしながら、男たちが村の内外を駆けめぐる。冬の悪魔を追い払い、まだ地中で眠りこけている植物の精を呼びさまして、緑を芽生えさせようというわけ。冬の悪魔に扮《ふん》した男が別にいて、皆に追いかけられ、逃げまどうしぐさをする。

祭りの仕上げとして大きな焚《た》き火をする所も多い。やはり冬の寒さと暗さを追い、夏の暖かさと明るさを呼びたいという願いの表われだ。カーニバルの打ち上げとしてよく火祭りをするのも、同じく古代からの風習の名残りとされている。

木の霊を招じて夏を讃美《さんび》した五月祭

アルプスの北の国々では、四月いっぱいはまだ雨の日が多く気温も低い。木々は緑に、花咲きかおる好季が訪れるのは五月に入ってからだ。この頃になると牧草は勢いよくのび始め、天候も安定してくるので安心して牛や羊を放牧できる。

そういうわけで、長かった冬からやっと本格的に解放され、輝かしい夏を迎えようとする喜びの日が五月一日であった。

森へ行って、スクスクと形よく伸び育っている木を選び、上端のまわりについている緑の枝だけを残して、枝を払い、村の広場に立てる。英語でメイポールMaypole（五月柱）、ドイツ語でマイバウムMaibaum（五月の木）と呼ばれるもの。木は昔から生命力の象徴であった。そのまわりで踊ったり、競技を催したりしたのがメーデーの始まりだ。今でも南ドイツでは町々村々に美しい飾りのついた五月の木が立てられる。

ミュンヘンのヴィクトゥアーリエン・マルクト広場に立っている五月の木

本書は一九九一年六月刊『ヨーロッパが面白い（上・下）』（トラベルジャーナル）を再構成した。

ヨーロッパものしり紀《き》行《こう》

《神話・キリスト教》編

新潮文庫　へ-2-1

平成十五年四月一日発行
平成十六年六月二十日四刷

著者　紅《べに》山《やま》雪《ゆき》夫《お》

発行者　佐藤隆信

発行所　株式会社 新潮社

郵便番号　一六二―八七一一
東京都新宿区矢来町七一
電話　編集部(〇三)三二六六―五四四〇
読者係(〇三)三二六六―五一一一
http://www.shinchosha.co.jp

価格はカバーに表示してあります。

印刷・錦明印刷株式会社　製本・錦明印刷株式会社

ISBN4-10-104321-3 C0126